Klimt

Das Buch

Die Weltausstellung von Paris, 1900. Der große Maler Gustav Klimt und Midi, seine Begleiterin, sind anlässlich der Verleihung der Goldmedaille für sein Werk »Philosophie« aus Wien angereist. Zu Klimts Ehren findet die Vorführung eines von Georges Méliès inszenierten Films statt, dessen Hauptdarstellerin, eine Tänzerin, Klimt sofort in ihren Bann schlägt. Klimt lässt Midi alleine nach Wien zurückkehren. Er bleibt in Paris und verlebt berauschende, leidenschaftliche Tage mit der Tänzerin – bis diese spurlos verschwindet. Klimt kehrt zu seiner treuen Freundin Midi zurück. Doch die mysteriöse Tänzerin will ihm nicht aus dem Sinn …

Die Autorin

Christine Eichel promovierte über Th. W. Adorno. Sie arbeitete als Autorin, Regisseurin und Moderatorin fürs Fernsehen und lehrte drei Jahre als Gastprofessorin an der UdK Berlin. 1998 debütierte sie mit dem Roman *Gefecht in fünf Gängen,* seither veröffentlichte sie zahlreiche weitere Romane. Sie arbeitet als Ressortleiterin beim Politischen Monatsmagazin *Cicero*. Ihr Roman *Klimt – Eine Wiener Phantasie* beruht auf dem Drehbuch von Raoúl Ruiz.

Christine Eichel

KLIMT

Nach dem gleichnamigen Film
von Raoúl Ruiz

List Taschenbuch

Besuchen Sie uns im Internet:
www.list-taschenbuch.de

Umwelthinweis:
Dieses Buch wurde auf chlor- und säurefreiem Papier gedruckt.

Originalausgabe im List Taschenbuch
List ist ein Verlag der Ullstein Buchverlage GmbH, Berlin.
1. Auflage März 2006

Umschlagkonzept: HildenDesign, München
Umschlaggestaltung: Hauptmann und Kompanie Werbeagentur, München – Zürich
Titelabbildung: © Christine Horn/Thomas Esterer, Wien unter Verwendung von »Der Kuß«
von Gustav Klimt, Österreichische Galerie Belvedere, Wien (Detail)
Gesetzt aus der Garamond
Satz: Pinkuin Satz und Datentechnik, Berlin
Druck und Bindearbeiten: Clausen & Bosse, Leck
Printed in Germany
ISBN-13: 978-3-548-60609-5
ISBN-10: 3-548-60609-1

NA LOS DOCH, UND JETZT HÖHER!«

Drei junge Frauen wirbelten durch die Luft, nackt schaukelten sie in großen Stoffschlaufen, quer durch ein weitläufiges Atelier, immer schneller, immer höher, während ein hünenhafter Mann in einem bodenlangen Gewand seinen Pinsel wie im Fieber über die Leinwand fahren ließ. Ein paar Katzen strichen schnurrend um seine Beine, wirbelten Stapel von Skizzenblättern auf und sprangen über das Wasserbassin hinweg, das neben der Staffelei stand. Immer wieder tauchte der Maler seine Finger ins Wasser, rührte es auf, bis es sich kräuselte und Stoff und nacktes Fleisch in winzige Wellen auflöste.

»Mehr! Schneller!«, feuerte er die Mädchen an.

Kaltes Tageslicht fiel in das Atelier, auf die verblichenen Teppiche, auf die rohen Wände, an denen halbfertige Bilder lehnten, und mitten im Raum stand Gustav Klimt, der berühmteste und umstrittenste Maler seiner Zeit, und befehligte wie ein Feldherr seine Modelle.

»Höher, noch höher!«, rief er.

Wieder ruderte seine Hand im Wasser, und die Mädchen verflüssigten sich darin zu schillernden, silbrig glänzenden Meerwesen, sich umspielend und ineinander gleitend wie ein Schwarm von Lachsen. Alles war in Bewegung, während der Pinsel über die Leinwand tanzte, im Rhythmus der aufleuchtenden Leiber, die kein Oben und Unten mehr begrenzte, alles floss zusammen, Haut und Farbe, Stoff und Licht.

»Wir können nicht mehr«, keuchte eines der Mädchen. »Stundenlang schaukeln wir hier schon herum!«

Doch Klimt achtete nicht auf sie. Er hatte sich ganz in seinem selbst erschaffenen Kosmos verloren und schloss halb die Augen, gefangen im schwebenden, schwindelerregenden Spiel aus Bewegungen und Reflexen, die ihn in einen diffusen Taumel versetzten.

»Klimt! So hören Sie doch! Lassen Sie es gut sein für heute, bitte!«

Als sei er von einer langen Reise zurückgekehrt, öffnete der Maler die Augen und ließ den Pinsel sinken.

»Na schön«, lenkte er ein. »Ihr könnt runterkommen. Schluss für heute. In der Küche steht was zu essen und zu trinken, bedient euch.«

Erleichtert hüpften die Mädchen auf den Boden zurück, warfen sich ihre Morgenmäntel über und machten sich auf den Weg in die Küche. Nur die jüngste, zart und blond, mit einem verlorenen Ausdruck in den Augen, blieb auf dem Boden sitzen und sah sich nach dem Maler um.

»Und was ist mit mir?«, fragte sie.

Er legte den Pinsel beiseite und berührte leicht ihre Wange.

»Ich habe noch eine Verabredung, Schatzerl«, sagte er. »Sei nicht traurig, ein andermal vielleicht.«

Enttäuscht huschte sie davon. Während aus der Küche Gläserklirren und das Gelächter der Mädchen drang, zog Klimt sein mit Farbspritzern übersätes Gewand über den Kopf. Einen Moment lang stand er nackt da, über das Bassin gebeugt, und betrachtete die quecksilbrigen Wasserwirbel, die sich allmählich zu seinem Spiegelbild verfestigten. Wirr stand sein Haar über der breiten, starken Stirn, und sein Mund, fast verdeckt vom buschigen Vollbart, zuckte nervös.

Er war noch immer leicht benommen. Viele Stunden hatte er gemalt, ohne zu essen und zu trinken, in einem rauschhaften

Zustand, der die Zeit verflüssigt hatte, bis auch sie nur noch ein kreisender Strudel war.

Zögernd löste er sich von der Wasseroberfläche und ging in das kleine Ankleidezimmer, das an das Atelier grenzte. Er sah auf die Uhr. Es wurde Zeit fürs Kaffeehaus. Langsam zog er sich an. Im Spiegel kontrollierte er den Sitz seines hohen weißen Kragens unter dem eng anliegenden schwarzen Jackett, dann nahm er den Mantel vom Haken, lauschte noch kurz zur Küche hin und trat hinaus auf die Straße.

Es war ein strahlender Nachmittag und die Sonne blendete ihn, als er sich auf den Weg ins Café Central machte, vorbei an den auftrumpfenden Fassaden der K. u. K.-Metropole, die im hellen Licht wie frisch gemalte Kulissen leuchteten. Die verschwenderisch inszenierte Grandeur des stuckseligen Wien schien durch nichts erschütterbar zu sein. Es war das Jahr der Jahrhundertwende, die Ringstraße mit ihren Prunkbauten war nach jahrzehntelanger Arbeit vollendet und Wien feierte sich selbst als pathetisch aufgeladenes Gesamtkunstwerk. Auf Klimt wirkte das alles jedoch zuweilen so, als hätte sich die ganze Stadt für einen Historienkarneval kostümiert.

Im Café Central ging es schon hoch her. Kellner balancierten riesige Tabletts über die vollbesetzten Tische hinweg, beladen mit Melange und Wiener Jause, mit Tafelspitz und Gugelhupf, und bahnten sich behände ihre Pfade durch einen Parcours aus Stühlen, Palmen und Marmorsäulen. An einem Tisch in der Ecke residierten lautstark die Künstler, allen voran Adolf Loos, bekannt für seinen gewagten neuen, puristischen Baustil, der von einen Anhängern als Siegeszug der Moderne gefeiert wurde, in den Augen vieler Kritiker jedoch fast an Barbarei grenzte. Endlose Querelen entzündeten sich außerdem an der hochfahrenden Art, mit der Loos die Bürger mit ihrem Faible für überladenes Dekor lächerlich machte und für seine Ästhetik der schmucklosen, einfachen Form kämpfte.

Selbst hier, am Kaffeehaustisch, wurde heftig gestritten. Befürworter und Widersacher des Architekten lieferten sich erbitterte Rededuelle, denn dieser Ort war nicht nur ein Laboratorium der Ideen, sondern auch die perfekte Arena für publikumswirksame Schaukämpfe. Der Meister der Provokation aber war Loos selbst, er liebte es geradezu, seine Zuhörer mit immer gewagteren Argumenten herauszufordern.

Abwartend blieb Klimt in einiger Entfernung stehen. Er war meist Zaungast bei diesen Debatten. Auch wenn er selbst nur zu oft als Zielscheibe herber Angriffe herhalten musste, so beteiligte er sich höchst ungern an diesen Gefechten, in denen sich Überzeugungen und Eitelkeiten unauflösbar mischten. Seine Sprache war die Malerei, seine Argumente waren seine Bilder. Die wortgewaltige Selbstdarstellung überließ er lieber anderen.

Soeben war ein Gast aufgesprungen, bleich vor Wut über seiner schwarzen Krawatte. Kurz fixierte er den Architekten, dann holte er aus und versetzte ihm eine schallende Ohrfeige.

Auf der Stelle wurde es still am Tisch. Alle starrten gebannt auf Loos, der reglos dasaß und seinen Angreifer verdutzt anstarrte.

»Aha«, sagte er nach einer Schrecksekunde. »So steht's also. Na gut, je eher, desto besser.«

»Morgen früh?«, fragte der Gast kalt. »Ich schlage Pistolen vor.«

Er war ein akkurat gekleideter junger Mann mit einem penibel in Form gestutzten Kinnbart, der seine Attacke offenbar sorgsam vorbereitet hatte. Der Architekt lachte höhnisch auf. »Selbst wenn Sie mich umbringen – Recht haben Sie trotzdem nicht.«

Nun brach eine wüste Schlägerei aus, Stühle stürzten um, Gläser fielen klirrend zu Boden. Während ein paar Frauen laut aufkreischten und einige Gäste vergeblich versuchten, die

Kontrahenten zu trennen, richtete sich Loos blutend auf und rief: »Ich bin verletzt! In diesem Zustand kann ich mich unmöglich duellieren!«

»À la bonne heure«, erwiderte ein anderer Gast. »Als Arzt kann ich Ihnen ein Attest schreiben, wenn Sie wollen.«

»Jessas, was für ein Durcheinander«, seufzte ein älterer, grauhaariger Kellner, der mit Besen und Kehrblech herangeschlurft kam und gleichmütig begann, die Scherben aufzukehren. »Immer diese Künstler-Bagage. Die werden sich eines Tages noch alle gegenseitig umbringen.«

»Worum ging es denn?«, fragte Klimt und trat an den Tisch neben den Streithähnen.

»Immer dasselbe«, rief ein junger Ober im Vorübergehen. »Das kennt man doch schon. Die fühlen sich nur wohl, wenn sie streiten können.«

»Etwa über – Kunst?«, grinste Klimt und knöpfte seinen Mantel auf.

Der ältere Kellner machte eine wegwerfende Handbewegung, dann fegte er ächzend die restlichen Scherben auf das Kehrblech.

»Schönheit, Ästhetik und so etwas«, grummelte er mit hochgezogenen Augenbrauen. »Darum geht es doch immer, wenn sie sich die Köpfe einschlagen.«

»Genau«, sekundierte der andere Kellner, der gerade mit einem Tablett voller Tassen und einer großen Sahnetorte zurückkehrte. »Die einen sagen, Schönheit sei etwas Ewiges, Unvergängliches, die anderen glauben, dass jede Epoche ihren eigenen Schönheitsbegriff hat.«

»Und die Herren von der Kunstakademie?«, wollte Klimt wissen. »Was sagen die?«

Der junge Kellner setzte das Tablett ab und strich sich über die vor Anstrengung gerötete Stirn. »Die finden sowieso, dass mit Raffael auch die Schönheit dahin ist. Das heißt dann wohl, dass es seit Jahrhunderten keine richtige Kunst mehr gibt. Aber es ging alles gesittet zu, bis dieser Loos auftauchte.«

Er schulterte sein Tablett wieder, umrundete vorsichtig die Künstlertruppe und stellte die Torte vor Loos hin, der sie sofort anschnitt und gierig ein Stück verschlang.

»Ich glaube, ich sollte öfter hierher kommen«, lächelte Klimt und setzte sich nieder.

Er sah sich um und entdeckte einen hageren Herrn etwas abseits in einer Nische, der sich über ein Notizbuch beugte und unablässig schrieb.

»Hat Karl Kraus sich etwa auch eingemischt?«, fragte Klimt leise den ergrauten Kellner, der immer noch die letzten Überreste des Kampfes beseitigte.

»Ach was. Der hält sich zurück. Mutig ist der nur in seinen Artikeln.«

Klimt lachte auf. »Und wie mutig er dann ist! Er lässt wirklich keine Gelegenheit aus, mich zu attackieren, am liebsten würde er die Avantgarde-Künstler allesamt zum Teufel jagen! Wissen Sie, wie er die Schriftsteller von heute nennt? Kaffeehausdekadenzmoderne! Neulich schrieb er, sie bestünden nur aus Posen, Größenwahn und falschen Dativen!«

Gleichmütig zuckte der Kellner mit den Achseln. »Ein Tollhaus ist das hier«, brummte er. »Ein einziges Tollhaus.«

In diesem Moment steigerten sich die Stimmen der Streitenden zu einem wilden Geschrei.

»Jesus, Maria und Josef, es geht schon wieder los«, stöhnte der Kellner und blickte zu dem Architekten hinüber, dessen Gesicht rot angelaufen war und der nun die Arme ausbreitete wie ein Wanderprediger. »Dieser Loos gibt einfach keine Ruhe.«

Kopfschüttelnd schlurfte er davon, während Klimt sich der Runde zudrehte. Soeben setzte Loos zu einer flammenden Rede an.

»Der moderne Mensch braucht das Ornament nicht, im Gegenteil, er verabscheut es«, verkündete er. »Seht euch die Wilden an, die Indianer, die Papua, wie sie ihre Körper bemalen. Und womit?«

Erwartungsvoll sah er in die Runde. »Na? Mit Ornamenten natürlich! Je tiefer ein Volk steht, desto verschwenderischer ist es mit seinem Ornament, mit seinem Schmuck!«

Er nahm ein zweites Stück Torte, und während er kaute, kostete er sichtlich die allgemeine Verblüffung über seine These aus. Dann betupfte er sich die Lippen mit einer Serviette und warf sie achtlos auf den Tisch.

»Wenn ich sage, dass jegliches Ornament ein Verbrechen ist, so meine ich das ganz buchstäblich! Es ist wirklich ein krimineller Akt und müsste bestraft werden!«

Er deutete auf die Kuchenplatte vor sich. »Sehen Sie sich mal diese Sahnetorte an. Es hat bestimmt viele Stunden gedauert, um sie zu erschaffen. Und wozu das Ganze? Es wäre doch viel besser, man würde gleich Brot, Milch und Zucker essen, nicht dieses lachhafte Ding. Das wäre auch viel gesünder.«

»So ein Blödsinn«, murrte ein Tischgenosse. »Gerade hat er mit größtem Appetit zwei Stück Torte gegessen und jetzt macht er sie nieder!«

»Typisch Loos«, beschwerte sich ein anderer. »Er will den Kuchen verspeisen und kritisiert zugleich seine Existenz! Zu Hause in seinem Arbeitszimmer hat er sogar einen Teppich mit Vogelmuster, obwohl er doch die Ornamente angeblich so sehr verachtet!«

In diesem Moment fiel der Blick des Architekten auf Klimt, der belustigt das Wortgefecht verfolgte, als sei das Ganze eine Theatervorführung, die man eigens für ihn improvisierte. Wie ein Staatsanwalt streckte Loos den Arm aus und zeigte mit dem Finger auf ihn.

»Sieh mal an, wen haben wir denn da? Herr Gustav Klimt!«,

rief er spöttisch aus. »Der Präsident der Sezessionisten! Der Anführer der abtrünnigen Maler Wiens! Meine Damen und Herren, schauen Sie sich ihn gut an. Er ist ein moderner Ornament-Fetischist. Ein pathologischer Fall. Und dauernd wechselt er die Stile. Einfach geschmacklos.«

»Was soll er denn sonst machen, Ihrer Meinung nach?«, fragte ein Gast.

»Herrschaften, wie oft muss ich es denn noch sagen? Die Funktion macht das Werk aus, nicht Stil und Dekoration«, erläuterte Loos mit der Geduld eines Irrenarztes seine Theorie und zeigte hinter sich auf einen riesigen Spiegel mit prachtvoll verziertem Goldrahmen. »Betrachten Sie bitte diesen Spiegel. Wozu ist er gemacht? Richtig, damit man sich darin spiegeln kann. Aber was soll dann der goldene Rahmen? Er ist nur dazu da, irgendwelchen Handwerkern eine stumpfsinnige Arbeit zu geben. Der Rahmen ist völlig nutzlos! Der Spiegel selbst dagegen hat eine Funktion – deshalb ist er nützlich – und schön!«

Stolz auf seine glasklare Beweisführung verharrte er in selbstgefälliger Pose vor seinem Spiegelbild und betrachtete sich mit Wohlgefallen.

Plötzlich erhob sich Klimt. Ohne ein Wort ging er auf den Architekten zu, nahm den Rest der Sahnetorte und warf sie ihm mitten ins Gesicht. Wieder wurde es still. Alle starrten erschrocken auf den über und über mit Sahne beschmierten Loos.

»Was Sie gerade gesagt haben«, erklärte Klimt seelenruhig, »war ein bloßes Ornament. Daher war es nutzlos und hässlich. Da ich Sie aber mit dieser Torte zum Schweigen bringen konnte, ist sie höchst nützlich und damit schön.«

Eine unerträgliche Spannung lag in der Luft, alle waren sprungbereit und warteten nur auf ein Zeichen von Loos, um sich für die ungeheuerliche Provokation zu rächen. Die nächste Schlägerei war buchstäblich mit Händen zu greifen. Doch statt sich auf Klimt zu stürzen, der ihn soeben in aller Öffentlichkeit gedemütigt hatte, wischte sich Loos die Sahne wie Rasierschaum von den Wangen und leckte nachdenklich seine Finger ab.

»Weil Sie es sind, verzeihe ich Ihnen, Klimt«, sagte er schmatzend. »Denn Ihre Bilder sind erotisch. Ich bin der Meinung, Kunst sollte immer erotisch sein. Nehmen wir die Kreuzigung – kann es ein erotischeres Motiv geben?«

Seine Kompagnons schwiegen betreten. Eine Kreuzigung erotisch zu nennen, war das nicht eine geradezu frevelhafte Gotteslästerung?

»Der erste künstlerische Akt, der an die Wand geschmiert wurde, war ein Kreuz«, fuhr Loos fort. »Ein horizontaler Strich: das liegende Weib. Ein vertikaler Strich: der sie durchdringende Mann. Der Künstler, der das Kreuz schuf, er ist in demselben Himmel, in dem Beethoven die Neunte schrieb.«

Klimt zögerte. Dann nahm er eine Serviette, ging auf Loos zu und begann, ihm vorsichtig die letzten Sahnereste vom Gesicht zu wischen. Umsichtig, fast zärtlich waren seine Bewegungen, so als reinigte er ein kostbares Kunstwerk, und Loos hielt still, wie betäubt, überwältigt von der unerwarteten Geste.

»Entschuldigung«, murmelte Klimt, als er ein paar letzte Tortenreste vom Revers entfernte. »Verzeihen Sie mir.«

Eine junge Frau erschien am Eingang des Kaffeehauses und sah sich suchend um. Sie war vielleicht Mitte dreißig und sehr auffallend gekleidet. Ihr Kleid war nicht wie üblich mit vielen Rüschen und Schleifchen verziert, sondern wies die strenge Geometrie eines Schachbrettmusters auf. Der betont schlichter Schnitt ließ sie wie eine Skulptur erscheinen. Braune Ringellocken quollen unter ihrem vorwitzigen schwarzen Hut hervor und rahmten ein blasses, gehetzt wirkendes Gesicht. Als sie

Klimt erspäht hatte, durchquerte sie eilig das Lokal und zupfte ihn am Ärmel.

»Tut mir Leid, dass ich so spät dran bin«, flüsterte sie. »Was ist denn hier passiert?«

Klimt fuhr herum. »Ah, du bist es. Servus Midi.«

Er küsste die junge Frau flüchtig und zog sie beiseite, ohne sich weiter um Loos zu kümmern, der immer noch wortlos dastand.

»Kommst du vom Kulturminister?«, fragte er. »Und, ist er schockiert, dieser Ignorant?«

»Ja, ich komme direkt vom Ministerium. Und dieser von Hartel ist nicht so schlecht, wie du denkst«, beschwichtigte sie ihn.

»Stimmt. Die Schlimmsten sitzen hier«, knurrte Klimt.

Midi seufzte. »Ihr hattet also wieder Streit.«

Sie setzte sich an den freien Tisch neben den Künstlern und Klimt ließ sich neben sie auf einen Stuhl fallen. Die beiden wirkten so vertraut wie ein langjähriges Ehepaar, doch jeder wusste, dass Midi und Klimt eine Zuneigung verband, die kein Trauschein legitimiert hatte und die darüber hinaus jeder herkömmlichen Vorstellung von Beziehungen widersprach. Die ganze Stadt klatschte über Klimts zahllose Affären, die Midi scheinbar gleichmütig duldete.

»Reg dich nicht auf«, sagte Klimt gelangweilt. »Streit gehört hier doch zum guten Ton. Sag mir lieber: Gibt es nun einen Bilderskandal oder nicht?«

Midi strich sich eine Locke aus dem Gesicht. Sie wirkte mitgenommen. »Noch unterstützt von Hartel dich. Er hat mir versichert, dass er deine ›Allegorie der Philosophie‹ nicht öffentlich kritisieren wird. Er will erst sehen, wie man darauf bei der Pariser Weltausstellung reagiert. Warten wir also ab. Wenn in Frankreich alles gut geht, wird es keinen Skandal geben. Übrigens – hast du schon gepackt?«

Klimt verschränkte gleichgültig die Arme. »Das macht doch meine Mutter.«

»Selbstverständlich. Die werte Frau Mutter kümmert sich ja immer um alles, damit der Bub nur nicht in Trivialitäten versinkt«, stichelte Midi und winkte den grauhaarigen Kellner heran. »Bittschön, eine Melange.«

»Für mich auch«, fügte Klimt hinzu, dann wandte er sich wieder an seine Freundin.

»Paris …«, meinte er in abfälligem Ton. »Weißt du was? Paris kann mir gestohlen bleiben.«

Währenddessen kam wieder Bewegung an den Nachbartisch. Stühle wurden gerückt und man begrüßte eine auffallend elegant gekleidete Dame mit zwei Herren im Schlepptau.

»Ah, Frau Serena Lederer«, rief Loos und erhob sich. »Die Förderin der schönen Künste. Habe die Ehre!«

Serena Lederer reichte ihm die Hand und nickte lächelnd in die Runde. Über dem schweren Pelzbesatz ihres schwarzen Kostüms funkelten üppige Ohrgehänge und auf ihrem extravaganten Hut wippte eine ganze Kaskade schwarzer Marabufedern. Sie und ihr Mann August gehörten zum glänzenden Geldadel der Stadt. Ihre Villa war im Laufe weniger Jahre zu einem privaten Museum der Moderne geworden, denn sie sammelten ausschließlich zeitgenössische Kunst.

»Klimt und Midi sind ja auch da!«, rief sie aus, als sie den Maler und seine Freundin entdeckte. »Scheint so, als wären mal wieder die üblichen Verdächtigen beisammen!«

Sie umarmte Midi. »Was für ein wunderbares Kleid, machst du mir auch so eins? Gleich morgen früh komme ich in deinen Salon.«

Dann setzte sie sich und streifte ihre schwarzen Handschuhe ab. »Was Sie betrifft, lieber Klimt, so hat mein Gatte die Absicht geäußert, ein weiteres Bild von Ihnen zu kaufen. Zum Glück überlässt er mir die Auswahl.«

»Nur zu«, erwiderte er. »Solange es keine Allegorie ist – die bringen nämlich nur Ärger ein.«

Serena Lederer legte den Kopf schräg und zwinkerte ihm verschwörerisch zu. »Ärger? Das ist eine hübsche Untertreibung, würde ich sagen.«

»Du hast was verpasst, Serena«, erzählte einer der Künstler. »Wir hatten hier schon einen echten Eklat! Es ging um deinen verehrten Klimt.«

»Ach ja?«, fragte Serena Lederer gespannt. »Und was hat er dazu gesagt?«

»Der trinkt seinen Kaffee, als ob ihn der ganze Schlamassel gar nichts angeht«, beschwerte sich der Künstler. »Seine Verteidigung überlässt er schön seinen Freunden.«

Alle am Tisch murrten zustimmend.

»He, Gustav«, rief ein anderer, »deine Freunde haben den Eindruck, dass der General seine Truppe unehrenhaft verlässt, und das mitten in der Schlacht!« Alles lachte.

»Habt ihr schon die Protestschrift der Professoren gelesen?«, fragte Serena Lederer schließlich, die ihren verwegenen Hut trotz der Hitze im Lokal nicht abgenommen hatte. »Eine Schande ist das!«

Erwartungsvoll sahen alle sie an.

»Nein«, erwiderte Loos. »Was steht denn drin?«

Serena Lederer verdrehte die Augen. »Alles, was man für einen handfesten Skandal braucht.«

»Ich habe das Machwerk bei mir«, verkündete einer ihrer Begleiter und zog einen Bogen Papier aus der Tasche. Dann las er laut vor: »›Die Unterzeichneten haben die Absicht, der Universitätsleitung eine Petition vorzulegen, die von den Professoren aller Fakultäten unterzeichnet wurde‹, und so weiter, der übliche Unsinn. Aber hier, am Ende, wird es spannend: ›Wir fordern, dass die Anbringung des Gemäldes ‚Allegorie der Philosophie' von Gustav Klimt in der Aula der Universität verhindert wird!‹ Unterzeichnet ist die Schrift von siebenundachtzig Professoren!«

Er faltete den Bogen wieder zusammen und lehnte sich zum Nebentisch hinüber. »Na, Klimt, was sagen Sie dazu?«

»Nichts sagt er, das siehst du doch«, warf Serena Lederer ein. »Der bleibt ganz ruhig und trinkt lieber seinen Kaffee!«

»Erst führt er sich als großer Malerfürst auf und dann besudelt er alles mit seinen ekelerregenden Huren«, zischte ein Herr vom Tisch der Künstler erregt. »Habt ihr seine ›Nuda veritas‹ gesehen? Schon allein für die obszöne Art, wie er das weibliche Schamhaar malt, sollte man ihn einsperren!«

Sofort wurde er von seinen Tischnachbarn niedergebrüllt.

»Was für ein unerträglicher Spießer«, stöhnte einer von ihnen. »Aber immerhin ist Berta Zuckerkandl auf unserer Seite.«

»Ohne ihre Kritiken hätte er es nicht so weit gebracht«, pflichtete ihm ein anderer Klimtanhänger bei. »Sie verteidigt ihn wie eine Löwin ihr Junges!«

»Psst«, flüsterte Serena Lederer. »Da kommt sie!«

Und tatsächlich trat im selben Augenblick Berta Zuckerkandl an den Tisch, eine imposante Dame mit einem Monokel. Sie stand in dem Ruf, jedem Traditionalisten der Kunst ebenso furchtlos wie wortmächtig die Stirn zu bieten.

»Mir könnt ihr nichts vormachen«, drohte sie scherzhaft in die Runde. »Ihr sprecht doch gerade über mich, oder?«

Sie winkte den Sitzenden zu und sah sich im Lokal um. »Na, da sind ja mal wieder alle angetreten, und natürlich auch die Herren Kritiker. Wisst ihr, was einer dieser Schmierfinken neulich in der Zeitung schrieb? ›Wir haben wirklich nichts gegen Freie Kunst oder gegen Aktmalerei, aber wir haben eine Menge gegen scheußliche Kunst!‹«

»Solchen Kerlen gehört die Fresse poliert«, bemerkte einer der Wortführer verächtlich.

»Und Sie, Klimt, was wollen Sie gegen diese Leute unternehmen?«

Serena Lederer legte ihm die behandschuhte Hand auf den Arm. »Nichts, das sieht man doch. Er ist diese ewigen Debatten leid.«

»Genau! Könnt ihr ihn denn nicht mal in Ruhe lassen?«, rief Midi ärgerlich.

Noch immer sagte Klimt keinen Ton. Stattdessen stand er auf, mit verzerrtem Gesicht, so, als wolle er jetzt seinem Ärger endlich Luft machen.

»Was hast du vor?«, fragte Midi mit bebender Stimme.

»Keine Sorge«, blaffte er. »Ich gehe nur zur Toilette. Und zwar um mich zu übergeben!«

Ohne sich weiter um die Kampfhähne am Nebentisch zu kümmern, ging er an ihnen vorbei und blieb im angrenzenden Vestibül stehen. Gedankenverloren betrachtete er sich im Spiegel. »Hast es ja weit gebracht, mein Lieber«, murmelte er.

Es war ein langer Weg gewesen, von der Wiener Vorstadt in das Zentrum der Metropole. Als Sohn eines armen Kunsthandwerkers, der seinen sieben Kindern wenig mehr hatte mitgeben können als die Liebe zur Gravur, hatte er sich hocharbeiten müssen. Mit vierzehn war er auf die Wiener Kunstgewerbeschule gekommen und hatte allen Ehrgeiz und alle Energie darauf verwandt, Malerei und Mosaiktechnik zu studieren. Schon früh hatte er sich sein erstes Geld als Porträtmaler verdient. Die Idee war einfach, aber neu gewesen: Er zeichnete Porträts nach Fotografien, für einundsechzig Gulden das Stück.

»Na, Gustl, zufrieden?«, höhnte er sein Spiegelbild an, das unversehens zu zerfallen schien, sich auflöste und zerrann, als sei er selbst nur ein Reflex auf einer Wasseroberfläche, ein Vexierbild aus lauter Widersprüchen.

»O ja, du bist schließlich ein Erfolgsmaler«, antwortete er sich selbst.

Er hatte seine Porträtkunst immer mehr verfeinert, hatte die Genauigkeit, mit der er den Charakter eines Gesichts erfasste, durch einen immer freieren Umgang mit seinem Gegenstand erweitert, und seine ungewohnt farbmächtigen, flirrend geheimnisvollen Bildnisse ließen ihn rasch zum Liebling der aufgeklärten Wiener Gesellschaft werden. Zum Star machten ihn allerdings seine spektakulären öffentlichen Aufträge, wie die Wandmalereien im Hof des Kunsthistorischen Museums, und bald schon sprach ganz Wien über das malende Wunderkind, das mit nur sechsundzwanzig Jahren aus der Hand des Kaisers Franz Joseph das Goldene Verdienstkreuz für sein künstlerisches Schaffen erhalten hatte.

»Das Kreuz«, flüsterte er, »meine Kreuzigung.«

Sein Erfolg war fragil. Denn mittlerweile galt er in den Augen vieler nur noch als ein wüster Rebell, der sich mit schockierenden Akten den Ruf eines rohen Provokateurs ermalt hatte und immer wieder im Sperrfeuer der akademischen Kritik landete, die seine Malerei zu anstößig und seine Frauengestalten zu erotisch fand. So war er zur Reizfigur der Kunstprofessoren geworden, die ihn nach Kräften bekämpften. Zwar konnte er durch die Unterstützung von Mäzenen wie den Lederers gut leben, aber seine offizielle Anerkennung stand auf dem Spiel, seit er nicht mehr den Zeitgeschmack bediente, seit er mutiger geworden war und ohne Rücksicht auf die Erwartungen des Publikums nach neuen Ausdrucksformen suchte.

»Paris …«, flüsterte er.

Während er noch in den Spiegel starrte, trat ein schmaler Herr in schwarzem Anzug auf ihn zu. Sein spitzes Fuchsgesicht wirkte verschlagen und hinter der randlosen Brille blitzte es spottlustig.

»Herr Klimt? Sind Sie es?«

»Wenn in Paris alles gut geht …«, murmelte Klimt und

blickte sich unverwandt an, als plötzlich ein Glas an ihm vorbeigeworfen wurde und der Spiegel krachend in tausend Stücke zerbarst.

EIN RAUNEN, EIN RUFEN, die drangvolle Enge einer erregten Menschenmenge holten ihn in die Wirklichkeit zurück. Er blinzelte.

Der österreichische Pavillon war längst überfüllt, draußen rollten unablässig Kutschen heran, tout Paris strömte in die hohen, weiß getünchten Räume, wo eine Flucht von Gemälden düster aufglühte, begafft und bestaunt von einem neugierigen Publikum, das schon von dem Revolutionär aus Österreich gehört hatte und nun erwartungsvoll die Reihe der Bilder abschritt. Bunte Hüte schwebten über den Köpfen, phantastisch aufgetürmte Gebilde aus Federn und künstlichen Blumen, man sah große Roben, Abendanzüge und reich dekorierte Uniformen. Auch einige kunstsinnige Gäste aus Wien waren eigens nach Paris gereist, um dem spektakulären Ereignis beizuwohnen.

Besonders großes Gedränge gab es vor der »Allegorie der Philosophie«, die schon in Wien für Aufsehen gesorgt hatte. Nackte Leiber wanden sich am linken Bildrand himmelwärts, aber es waren keine wissenden Gelehrten, keine souveränen Geisteshelden, es war ein Strom von wie in Trance dahintreibenden Figuren, die sich von der Bildmitte abwandten, wo im grün schimmernden Nebel eines Sternenhimmels ein Gesicht schwebte, das mit seinen geschlossenen Augen an eine Sphinx erinnerte.

»Sieh doch, der alte, magere Mann da unten, nackt steht er da und schlägt die Hände vors Gesicht«, sagte eine Dame schaudernd und zeigte mit dem Finger auf das Bild. »Und direkt darüber dieses nackte Liebespaar, also, ich weiß nicht … was hat denn das mit Philosophie zu tun?«

»Sogar Karl Kraus hat sich darüber lustig gemacht. Er schrieb, dass Klimt ein unphilosophischer Künstler sei«, mischte sich ein Herr daneben ein, der sein Lorgnon gezückt hatte, um die Details genauer zu betrachten. »Aber wenn Sie meine Meinung hören wollen: Es ist ganz und gar großartig. Und die Presse hier in Paris, so hört man, hat sich bereits sehr begeistert geäußert.«

Die Dame sah noch einmal zweifelnd zum Gemälde, während ihr Mann im Katalog blätterte.

»Hier steht, der Figurenreigen, das sei ›das Entstehen, das fruchtbare Sein und das Vergehen‹«, las er stirnrunzelnd vor, »daneben, das soll ein Symbol des Welträtsels sein, und die erleuchtete Gestalt mit der Maske, das ist das Wissen.«

»Also, für mich ist und bleibt das ein Rätsel«, kicherte die Dame, verstummte aber, als sie den indignierten Blick ihres Mannes spürte.

»Schopenhauer«, erklärte der Herr mit dem Lorgnon. »Klimt hat sich von ›Die Welt als Wille und Vorstellung‹ inspirieren lassen und diese visionäre Farbsymphonie verdient wahrhaft unsere Bewunderung.«

Dann nickte er dem staunenden Ehepaar zu und ging zum nächsten Bild.

»Sieh doch«, die Dame zog ihren Mann am Ärmel und zeigte auf den Eingang des Saals, »da ist er ja, dieser Klimt! Ich glaube, er kommt hierher!«

Der Maler hatte schon seit einer Weile sein Werk aus der Entfernung betrachtet, jetzt ließ er sich wie ein zufälliger Gast von den Flanierenden vorwärts schieben. Alles erschien ihm unwirklich. Mit der Apathie eines Traumwandlers ließ er sich treiben und betrachtete die Gemälde, als sehe er sie zum ersten Mal.

War er wirklich in Paris? Stand er nicht gerade noch vor dem Spiegel, dem unheilvollen Spiegel, der auf einmal in Scherben zerbrochen war?

»Endlich! Da bist du ja«, sagte Midi erleichtert. Sie hatte ihn offenbar schon länger gesucht. Ihr blasses Gesicht war gerötet und unter ihrem Hut glänzten die Augen unternehmungslustig.

»Was ist passiert?«, fragte er bang.

Midi begann übermütig zu lachen. »Du bist jetzt berühmt! Macht nichts, das kann jedem mal passieren. Aber im Ernst: Es läuft großartig!«

Er sah sie entgeistert an, dann schüttelte er den Kopf. »Nein, ich will wissen, was mit dem Spiegel passiert ist, in Wien, es war doch erst gerade eben, oder nicht? Ich sah in den Spiegel und plötzlich zersprang er in tausend Stücke ...«

»Das muss an deinen magischen Kräften liegen«, kicherte Midi. »Ein geheimer Zauber, der alles elektrisiert, vor allem die Frauen ...«

»Mach dich nicht lustig über mich«, erwiderte Klimt zornig.

In seinem Kopf hallten Stimmen wider, sie raunten rätselhafte Worte, die ihn verwirrten, Bruchstücke einer unheilvollen Prophezeiung. »Zerbrochener Spiegel ... ein böses Omen für das neue Jahrhundert ... es wird ein verfluchtes Jahrhundert ... der Spiegel ... der Spiegel!«

Vor seinen Augen zerfiel die festlich gestimmte Menge mit ihren wogenden Kleidern und nachtschwarzen Fräcken in einzelne Fragmente, die Farben, die Formen, das Licht, alles brach sich tausendfach.

»Nun sieh doch, das sind die oberen Zehntausend von Paris«, schwärmte Midi. »Alle sind sie gekommen. Keiner will das Ereignis der Saison verpassen!«

Ihre Wangen glühten. Sie holte ein Opernglas aus ihrem

bestickten Abendtäschchen und suchte in der Menge nach bekannten Gesichtern. »Auguste Rodin ist da!«, rief sie voller Begeisterung. »Der berühmte Bildhauer! Er ist tatsächlich gekommen! Und Franz von Stuck!«

Sie hielt Klimt ihr Opernglas hin.

»Sieh selbst«, forderte sie ihn auf. »Alles, was Rang und Namen hat, gibt dir die Ehre!«

Er rieb seine brennenden Augen, setzte das Opernglas an und sah hindurch, aber nichts war zu erkennen, alles zerfloss wie ein feuchtes Aquarell, dessen Farbschlieren keine Form erkennen ließen, keinen Entwurf, keinen Gegenstand. Ratlos gab er Midi das Opernglas zurück. Er schwankte leicht.

»Gustl? Was ist mit dir?«, fragte Midi beunruhigt.

Inzwischen hatten immer mehr Gäste den Maler entdeckt, von allen Seiten kamen jetzt Ausstellungsbesucher auf ihn zu, beglückwünschten ihn, bestürmten ihn mit Fragen und, was ihn am meisten peinigte, bedrängten ihn mit gönnerhaften Bemerkungen.

»Ich – ich glaube, ich … brauche – frische Luft«, stammelte Klimt, während er mechanisch Hände schüttelte, Gratulationen entgegennahm und krampfhaft lächelte, um seine beginnende Ohnmacht zu überspielen.

Gerade wollte er sich dem irrlichternden Inferno aus Gesichtern und Stimmen entziehen, als ein Herr in Galauniform auf ihn zutrat. Es war der österreichische Botschafter mit seiner diplomatischen Entourage. Hoheitsvoll reichte er Klimt die Hand.

»Wie schön, dass wir endlich Gelegenheit haben, dem großen Sohn Österreichs unsere Glückwünsche auszusprechen«, sagte er dröhnend und klopfte ihm jovial auf die Schulter. »Aber jetzt möchte ich Ihnen einen berühmten Kollegen vorstellen, den Malerfürsten Franz von Stuck!«

»Sehr erfreut, danke, danke«, antwortete Klimt schwach.

Doch sosehr er sich auch anstrengte, der Konversation zu folgen, es gelang ihm nicht. Viel deutlicher hörte er andere Stimmen, die ihn rastlos umkreisten, die ihn einkesselten und ihm die Kehle zuschnürten.

»Ein bemerkenswerter Erfolg! … Ein bisschen zu bemerkenswert … Aber es wirkt so wunderbar verschwenderisch … Nein, anmaßend … Er soll ja nicht mal Deutsch sprechen können … Was dann? … Irgendeinen seltsamen Dialekt … Ah, ein Mann aus dem Volk! … Das sieht man doch gleich … Und trotzdem ein Genie!«

In seinen Ohren begann es zu rauschen, er murmelte eine Entschuldigung und flüchtete durch die nächstbeste Tür, hastete durch einen breiten Gang mit dicken Teppichen und blieb in einem leeren Raum voller überlebensgroßer Skulpturen stehen. Schwer atmend stützte er sich auf ein Podest.

»Und? Sind Sie zufrieden?«

Klimt fuhr herum. Vor ihm stand jener seltsame Herr, den er zuletzt im Café Central in Wien gesehen hatte, kurz bevor der Spiegel zerbrach.

»Sie wieder?«, stöhnte er.

»Ah, Sie erinnern sich?«, entgegnete der Herr erfreut. »Wie schmeichelhaft. Im Allgemeinen vergisst man jemanden wie mich sofort wieder, müssen Sie wissen, als niederer Beamter kann man kaum Beachtung erwarten.«

Er deutete eine Verbeugung an. »Darf ich mich Ihnen vorstellen? Ich bin Konsulatssekretär der österreichischen Botschaft.«

»Sehr erfreut«, murmelte Klimt und umklammerte das Podest fester.

»Leider nur der dritte Sekretär, um genau zu sein«, fuhr der Beamte fort, der den desolaten Zustand des Malers nicht zu bemerken schien. »Macht nichts, in meinem Alter hat man jegliche Ambitionen verloren. Umso mehr fühle ich mich geehrt, Ihre Bekanntschaft zu machen. Ich bin nämlich ein großer Bewunderer Ihrer Kunst. Allein Ihr Deckengemälde im Burgtheater – was für eine grandiose Leistung! Welch fulminante Üppigkeit ganz im Geiste des Barock und des Rokoko!«

»Ach was, das ist nur eine Jugendsünde, eine blöde Hochzeitstorte aus lauter Scheiße!«, versetzte Klimt schroff.

Unwillkürlich wich der Beamte zurück, gewann aber sofort seine Fassung wieder. »Man sagte mir bereits, dass Ihre Ausdrucksweise, wie soll ich sagen, von einer gewissen Vulgarität geprägt ist.«

Der Maler verzog sein Gesicht zu einer verächtlichen Grimasse. »Tut mir Leid, mit einer anderen Sprache kann ich nicht dienen.«

»Ich bin mir völlig sicher, dass das nicht der Wahrheit entspricht«, erwiderte der Sekretär geziert, »aber nichts läge mir ferner, als einem großen Künstler zu widersprechen.«

Klimt lachte trocken auf. »Dummes Zeug, vermutlich gehören Sie einfach zu den Leuten, die solche Hochzeitstorten mögen.«

Er hatte immer größere Mühe, sich auf den Beinen zu halten, der Boden begann zu schlingern, seine Füße fanden keinen rechten Halt mehr. Fest umklammerte er mit der einen Hand den Rand des Podests und fuhr sich mit der anderen über die schweißnasse Stirn.

Der Sekretär jedoch schien seinen Schwächeanfall noch immer nicht zu bemerken, so sehr genoss er die Gelegenheit, den erfolgreichen Maler in ein vertrauliches Gespräch über Kunst zu verwickeln.

»Das klingt so abschätzig«, sagte er vorwurfsvoll, »dabei möchte ich mir doch die Bemerkung erlauben, dass es die Hochzeitstorten sind, denen die Kunstwerke nacheifern, nicht umgekehrt.«

Ein unerträgliches Schwindelgefühl hatte Klimt nun mit

Macht erfasst, Schüttelfrost überlief ihn in raschen Wellen. Er machte auf dem Absatz kehrt und ließ den merkwürdigen Herrn einfach stehen. In höchster Panik durchhastete er neue Korridore, an großformatigen Gemälden entlang, durch ein nicht enden wollendes Labyrinth aus Gängen und Fluren, bis er unversehens den Ausgang erreichte und sich auf der Straße wiederfand.

Tief atmete er die kalte, frische Luft ein. Doch noch immer bedrängten ihn die fremden Stimmen. Verfolgte man ihn? Oder halluzinierte er gar?

Es dauerte eine Weile, bis ihm klar wurde, dass er in eine aufgewühlte Menge geraten war, in der alle hitzig durcheinander redeten.

»Ein Kannibale!«, schrie ein Mann völlig außer sich.

»Wo?«, kreischte eine Frau erschrocken.

Unwillkürlich zog Klimt den Kopf ein. Sprachen sie über ihn? Wurde er jetzt gelyncht?

»Na, hier, sie sind hier, mitten in Paris!«, rief der Mann aufgebracht, worauf die Frau angstvoll an seinem Jackett zerrte. »Antoine, ich bitte dich, lass uns gehen. Du hast doch wohl nicht etwa vor, so etwas den Kindern zu zeigen?«

Also doch ein Skandal, dachte Klimt. Waren die Gratulationen nur Komödie gewesen? Hatte Midi ihn getäuscht? Hatte er geträumt?

»Keine Sorge!«, krähte ein geckenhafter junger Mann mit schwarzem Zylinder. »Sie halten die Kannibalen in einem Käfig gefangen!«

»Dann lass uns hingehen!«, rief ein anderer.

Mit einem Ruck setzte sich die Menge in Bewegung und Klimt ließ sich widerstandslos mitreißen. Immer weiter stolperte er, geschoben und vorangestoßen vom sensationslüsternen Publikum, bis er schließlich in einer weitläufigen Halle stand, wo ein großer runder Käfig von Gaffern umringt wurde. Hinter den Gitterstäben aus Metall kauerten exotisch aussehende Eingeborene wie wilde Tiere im Zoo. Sie waren halb nackt, nur ein paar verfilzte Felle bedeckten sie notdürftig, ihre dunkle Haut und ihr langes schwarzes Haar glänzten im Licht der Scheinwerfer. Ein Schild informierte die Besucher darüber, dass es sich um Ureinwohner Patagoniens handele.

Erschüttert näherte sich Klimt dem Käfig.

»Nicht so nah rangehen, die sind gefährlich«, warnte ein Sicherheitsmann und versuchte, ihn zurückzuhalten.

Doch Klimt schob ihn einfach beiseite und trat noch näher an den Käfig heran. Was waren das für bedauernswerte Kreaturen? Warum hatte man sie hierher gebracht? Er presste sein heißes Gesicht an das Gitter, um die Insassen besser erkennen zu können.

Einer der Eingeborenen beobachtete ihn scheu und kam schließlich näher. Klimt lächelte ihm zu. Es dauerte eine Weile, bis der Mann zurücklächelte, er mochte vielleicht dreißig Jahre alt sein und trug als Einziger seinen Kopf kahlgeschoren.

Ohne Angst streckte der Maler seine Hand durch das Gitter. Der Eingeborene ergriff sie zögernd, betastete sie und drückte sie dann sichtlich erfreut.

»Das Berühren der Kannibalen ist streng verboten!«, schnarrte der Wächter. Dann erhob er seine Stimme. »Mesdames et messieurs, bitte nehmen Sie sich in Acht! Diese Wilden sind sehr gefährlich!«

Sofort wichen die Umstehenden zurück, mit wohligem Schauder belauerten sie aus sicherer Entfernung die Menschen im Käfig und zeigten mit den Fingern auf Klimt, der sich ihnen so furchtlos näherte.

In diesem Moment erschien ein Conférencier im Abendanzug. Er kletterte auf ein kleines Podest und verkündete laut über die Köpfe hinweg: »Darf ich um Ihre Aufmerksamkeit bitten? Das Vorführgerät ist eingerichtet für ein außergewöhnliches Experiment! Mesdames et messieurs, wir werden nun den Wilden einige Filmbilder zeigen!«

Eine großformatige Leinwand wurde herangerollt und direkt vor dem Käfig postiert.

»Hochverehrtes Publikum«, rief der Conférencier, »sehen Sie nun die Filme der berühmten Brüder Lumière und beobachten Sie deren Wirkung auf die Wilden!«

Auf der Leinwand begann es zu flimmern, dann konnte man erste Bilder erkennen, es waren Aufnahmen einer großen Stadt, belebte Straßenszenen zeigten breite Boulevards mit flanierenden Menschen, mit Kutschen und Straßenbahnen, immer neue Szenen entstanden wie von Geisterhand, verschwanden wieder und machten anderen bewegten Bildern Platz.

Gebannt starrten die Eingeborenen auf die Leinwand, mit fragenden Gesichtern zunächst, unschlüssig, was sie davon halten sollten. Dann rückten einige ängstlich zur entgegengesetzten Seite des Käfigs, andere näherten sich neugierig den flackernden Bildern. Und das Publikum, das eigentlich sie hätte betrachten sollen, verfolgte nicht minder fasziniert den Film.

»Eine Schande ist das!«, schrie plötzlich jemand. »Es sind immerhin Menschen und ihr stellt sie aus wie wilde Tiere!«

Ein junger Mann in einem hellgrauen Anzug hatte sich direkt vor die Leinwand gestellt und zeigte beschwörend auf den Käfig. »Schluss jetzt mit diesem grausamen Experiment! Versteht ihr denn nicht? Das sind Menschen!«

Während das Publikum lautstark protestierte, begannen die Eingeborenen zu niesen, einer nach dem anderen.

»Da seht ihr's!«, rief der junge Mann. »Sie haben sich schon erkältet! Ihr werdet sie umbringen! Jawohl, töten werdet ihr sie!«

Zwei Wächter erschienen, hakten ihn unter und unter dem Hohngelächter der Umstehenden wurde er weggeführt.

Auf der Leinwand galoppierten nun Pferde auf die Betrachter zu, in vollem Tempo schienen sie auf die Eingeborenen zuzurasen, um sie zu überrennen. Besorgt sah Klimt in den Käfig, wo es unruhig geworden war. Ein paar Gefangene rüttelten an den Gitterstäben, andere schrien in Todesangst, während die Zuschauer sich köstlich amüsierten.

Der Eingeborene, mit dem Klimt sich stumm unterhalten hatte, war auf dem Boden in sich zusammengesunken und verbarg das Gesicht in seinen Händen. Zitternd drückte er sich an die Gitterstäbe. Klimt hörte, wie er leise etwas vor sich hin raunte. Täuschte er sich oder hörte er einen gedämpften Hilferuf?

Neue Filmbilder tauchten auf und unter dem Gejohle der Zuschauer gerieten die Menschen im Käfig in immer größere Panik. Verzweifelt betrachtete Klimt den wimmernden Eingeborenen. Er war ihm näher als all diese Menschen im Saal – und war nicht auch er selbst in einem Käfig gefangen, zur Schau gestellt und den Blicken wehrlos preisgegeben wie diese Wilden? Konnte nicht jeder ihn und sein Werk begaffen, ihn anpöbeln und beleidigen, so wie es ihm gerade in den Sinn kam? Was schützte ihn denn vor dem Absturz ins Nichts, außer einer Hand voll Politiker und reicher Mäzene, die ihn von einem Tag auf den anderen fallen lassen konnten?

Er wandte sich ab. Vogelfrei, dachte er, ich bin vogelfrei. Ein Hofnarr, abhängig von der Gunst wankelmütiger Förderer. Kein öffentliches Amt gibt mir Sicherheit. Und immer, wenn eine Anstellung zum Greifen nahe scheint, treten Neider auf den Plan, um die Sache zu vereiteln.

Willenlos ließ er sich in den Sog der Filmbilder hineinziehen, von den schattenhaften Formen und Gestalten, die unwirklicher wurden und sich völlig auflösten, je näher er an die flirrende Leinwand trat. Er stand jetzt so dicht davor, dass er sie hätte berühren können, sein ganzer Körper war in das Licht des Projektors getaucht, und in einem schockhaften Moment des Erkennens machte er seinen eigenen Schatten aus, der ein Teil des Spektakels geworden war.

Plötzlich hörte er ein helles, kindliches Lachen. Er sah sich um. Woher kam dieses Kichern? Neugierig umrundete er die Leinwand und entdeckte ein kleines Mädchen in weißem Spitzenkleid, mit einer Schleife im Haar. Sie mochte nicht älter als fünf Jahre alt sein und war offenbar im Gedränge ihren Eltern entwischt.

»Was machst du denn hier?«, fragte er.

»Ich heiße Sylvia«, antwortete das Mädchen und lächelte ihn unbefangen an.

Schon hörte man die Eltern nach dem Kind rufen. »Sylvia, Sylvia!«

Klimt hockte sich vor sie hin. »Warum antwortest du nicht? Sie suchen dich schon!«

»Psst! Ich spiele Verstecken«, flüsterte das Kind verschwörerisch. »Verrat mich nicht, ja?«

Klimt jedoch richtete sich wieder auf und rief durch die Leinwand hindurch: »Keine Sorge! Ich habe sie! Ich bringe Ihnen Ihre Tochter!«

Doch als er sie bei der Hand nehmen wollte, war sie verschwunden. Stattdessen baute sich ein Wächter vor ihm auf.

»Es ist verboten, hinter die Leinwand zu sehen«, sagte er streng.

»Aber, aber da war ein kleines Mädchen, und sie, ich meine, sie hat …«, versuchte der Maler zu erklären.

»Nun sagen Sie bloß, Sie haben noch nie einer Film-Vorführung beigewohnt?«, unterbrach ihn eine schneidende Stimme, die Klimt bekannt vorkam.

Im Gegenlicht der erleuchteten Leinwand erkannte er die Silhouette des Botschaftsbeamten.

»Wo kommen Sie denn auf einmal her?«, fragte Klimt verdutzt.

»Betrachten Sie mich als Ihren Schatten«, erwiderte der Beamte.

Nun erschien auch Midi, völlig außer Atem. »Wo bist du denn hingeraten? Und warum führst du Selbstgespräche? Alle suchen dich schon! Der Minister ist da – alle sind da, nur du nicht! Komm endlich. Dies ist die Nacht deines Triumphs!«

»Wenn ich meine bescheidene Meinung äußern darf«, warf der Sekretär ein, »so habe ich den deutlichen Eindruck, dass Herr Klimt sich offenbar nicht im Klaren darüber ist, was ihn erwartet. Österreich, mein Herr, unser schönes Heimatland Österreich ist mit dem großen Preis ausgezeichnet worden. Sie haben soeben die Goldmedaille gewonnen!«

Midi umarmte den völlig perplexen Klimt und tanzte ausgelassen herum. »Ich wusste es!«, jubelte sie, »ich wusste es!«

Verständnislos betrachtete Klimt seine Freundin.

»Oh, Scheiße«, flüsterte er schließlich, worauf der Botschaftsbeamte in meckerndes Gelächter ausbrach.

»Übertreiben Sie nicht ein wenig?«, rief er dem Maler hinterher.

DER SPEISESAAL DER ÖSTERREICHISCHEN Botschaft war festlich erleuchtet. Große silberne Kandelaber tauchten die mit Blumen geschmückte Tafel in ein weich schimmerndes Licht, riesige Kristalllüster hingen von der goldverzierten Decke herab. Ein Heer von livrierten Dienstboten umtänzelte die Tafel wie ein sorgsam choreographiertes Ballett und schenkte unablässig Wein in die polierten Gläser, während riesige goldverzierte Spiegel die Szenerie ins Unendliche vervielfältigten.

»Wie eine Bonbonnière, wie eine große Bonbonnière«, murmelte Klimt vor sich hin.

Noch musste er sich an den Gedanken gewöhnen, dass das alles wirklich ihm galt, dass er nicht Zaungast, sondern Hauptperson dieses opulenten Diners war und dass er, der umstrittene Maler Klimt, gerade in einem feierlichen Festakt die Goldmedaille erhalten hatte.

»Dies ist ein Abend des Triumphs«, rief der Botschafter, der ihm gegenüber thronte, »ein Triumph für Klimt und für Österreich!«

Alle waren sie gekommen, ausgesuchte Würdenträger und reiche Mäzene, Vertreter des Hochadels und einflussreiche Politiker, sie alle sonnten sich im Sensationserfolg des Künstlers und der große Raum hallte von ihren erregten Stimmen wider.

Soeben wurde das Dessert serviert, verschwenderisch verzierte Eistorten, auf denen kandierte Früchte glänzten.

»Heb mir was auf davon, sei so gut«, wisperte Midi. »Ich gehe mir mal die Nase pudern.«

Sie strich leicht über seine Hand. »Geht es dir gut? Freust du dich?«

»Ja, natürlich«, antwortete er. »Geh nur.«

Er sah ihr nach, wie sie durch den Saal ging, in einem hochgeschlossenen Abendkleid aus fließendem Mousseline, dessen Kragen sich wie eine Blüte um ihren Hals legte. Dann verschwand ihre schmale Gestalt in der Menge.

»Klimt! Auf Ihr Wohl!«

Der Botschafter prostete ihm gönnerhaft zu und deutete auf die Medaille, die der Maler am Revers trug, eine goldene geprägte Münze an einem rotweißblauen Seidenband.

»Das ist der Ritterschlag, mein Lieber«, rief er enthusiastisch, »ein Hoch auf unseren verehrten Künstler!«

Auch Klimt erhob sein Glas, setzte es aber sogleich wieder ab, denn eine junge Dame hatte sich auf den freien Stuhl neben ihn gesetzt.

»Ich habe einen Brief für Sie«, raunte sie ihm zu. »Es ist sehr wichtig. Also, sind Sie bereit?«

Seltsam, sie passt so gar nicht hierher, dachte Klimt verwundert. Während sich die meisten Damen ringsum mit ausladenden Abendkleidern aus raschelndem Satin und schwerem Samt ausstaffiert hatten, aufwendig frisiert und mit gleißendem Schmuck behängt, trug sie ein schlichtes Kleid aus verschossener Baumwolle, und ihr strähniges Haar unter dem Hut war zu einem nachlässigen Knoten gesteckt.

»Bitte, wenn der Brief amüsant ist«, sagte er leichthin.

Die junge Dame richtete sich sehr gerade auf und entfaltete ein zerknittertes Stück Papier.

»Herr Klimt«, begann sie zu lesen, »Sie kennen mich nicht, genauer gesagt, Sie erkennen mich nicht. Ich war die Tochter Ihrer Haushälterin. Als Kind hab ich mich in Sie verliebt. Ich war es, die Ihnen immer die Tür zu Ihrer Wohnung aufmachte, wenn Sie die Schlüssel vergessen hatten. Ich war es, die Ihnen damals bis zum Prater hinterhergelaufen ist. Ich bin – ich war die Mutter Ihres Sohnes Andreas.«

Und wer war nun diese Frau neben ihm?

Klimt musterte aufmerksam ihr Gesicht, suchte nach Spuren von Vertrautheit in ihren fahlen Zügen, doch er konnte sich nicht an sie erinnern, so sehr er sich auch bemühte. Wie war sie überhaupt auf dieses Festbankett geraten? Sie kam ganz offensichtlich aus einer anderen Welt, die er selbst nur zu gut kannte, aus der Welt der armseligen Mietskasernen in den Wiener Vorstädten, wo vom Glanz der Ringstraßenpracht nichts zu spüren war, wo die Menschen ihre Tage in Elend und Hoffnungslosigkeit verbrachten, denn trotz ihrer Jugend wirkte auch die fremde Besucherin abgearbeitet und verhärmt.

»Warum …«, wollte er fragen, doch die Frau legte einen Finger an die Lippen. Dann las sie weiter. »Der Grund, warum ich Ihnen das alles in der Vergangenheit erzähle, ist folgender: Wenn Sie diesen Brief lesen, den ich Ihnen gerade schreibe, bin ich schon lange tot.«

Erschrocken fuhr er zusammen. Hatte er richtig gehört? Oder war es eine Sinnestäuschung? Gehörte sie etwa zu diesem wahnsinnigen Potpourri der Stimmen, die nicht von ihm abließen und ihm ohne Pause Halbsätze und Wortfetzen zuflüsterten?

Er schloss die Augen, um besser in das Stimmeninferno hineinhorchen zu können, aber alles, was er verstand, war zusammenhangloses Zeug.

»Klimt war noch keine dreißig, als er mit der Kaisermedaille ausgezeichnet wurde! … Ach, deshalb wirkt er so unbeeindruckt – er ist solche Ehrungen schon gewohnt … Tja, ganz egal, ob man euch ein Verdienstkreuz ansteckt oder ans Kreuz nagelt – es ist in jedem Fall eine Kreuzigung! … Aber er könnte wenigstens so tun, als ob er sich freut ... Schon allein deshalb, weil nicht jeder hier seine Arbeit schätzt ... Was soll's, Neider wird es immer geben ... Wahrscheinlich ist er einfach gehemmt, man sollte nicht vergessen, dass er aus dem Volk kommt ... Anscheinend kann er nicht mal anständig Deutsch reden ... Still, jetzt spricht der Botschafter!«

Klimt öffnete die Augen und blickte auf den Stuhl neben sich. Die Frau war verschwunden. Schräg gegenüber aber hatte sich der Diplomat erhoben und brachte die Gäste mit einer kleinen Handbewegung zum Schweigen.

»Meine Damen und Herren, ich habe die Ehre ...«, er machte eine Kunstpause und hob die Arme wie ein Dirigent, »... die überaus große Ehre, eine Überraschung anzukündigen, die uns das Organisationskomitee der Weltausstellung zuteil werden lässt.«

Während seiner kurzen Ansprache war eine Leinwand hereingeschafft worden. Die Diener beeilten sich, das Licht bis auf wenige Kerzen zu löschen, dann richtete sich der grelle Strahl eines Filmprojektors auf das weiße Rechteck.

Als Erstes erschien ein Titel: »Gustav Klimt auf der Weltausstellung«. Prompt wurde heftig applaudiert. Dann folgte ein Film, der offenbar am selben Tag gedreht worden war. Man sah Gustav Klimt, wie er seine eigene Ausstellung besuchte, wie er bei dem offiziellen Festakt die Goldmedaille erhielt, dann Szenen des Banketts – und am Ende Klimt, wie er den Film betrachtete.

Fassungslos sprang Klimt auf.

»Das – das ist völlig unmöglich!«, schrie er.

Ringsum war erstauntes Gemurmel zu hören. Das alles erschien wie Zauberei, und doch hatte es so echt ausgesehen, dass mehr dahinterstecken musste als ein billiger Taschenspielertrick.

Ein weiterer Titel erschien: »Gustav Klimt wird Cléo Lea de

Mérode Castro vorgestellt«. Eine junge Frau begann auf der Leinwand zu tanzen, und es bestand kein Zweifel, dass es sich bei ihr um die Dame mit dem klangvollen Namen handeln musste.

Wie hypnotisiert starrte Klimt auf die Filmszene. Mit schlangenhaften Bewegungen näherte sich die Tänzerin der Kamera, kostümiert wie eine orientalische Prinzessin. Ihr graziler Körper schien geradezu eingenäht in eine funkelnde zweite Haut aus blinkenden Edelsteinen, auf ihrem langen dunklen Haar trug sie eine schwere Tiara. Sie war wunderschön und die seltsam hellen Augen verliehen ihr eine exotische Aura. Beschwörend sah sie auf Klimt nieder. Ihr Blick unter den dramatisch geschminkten Lidern fixierte ihn durchdringend und ihre Arme schienen sich ihm sehnsuchtsvoll entgegenzustrecken.

Die Gäste waren inzwischen aufgestanden und klatschten wild und ekstatisch.

»Cléo ... L-Lea ...«, stammelte Klimt.

Ein neuer Untertitel erschien. »Klimt willigt ein, ein Porträt von Cléo Lea de Mérode zu malen«. Es folgte eine Szene, in der er sich selbst an einer Staffelei sitzen sah, wie er die Tänzerin malte. Dann wurde es dunkel und der Spuk war vorbei.

Der Film hatte kaum länger als zwei Minuten gedauert. Noch immer starrte Klimt bewegungslos auf die leere Leinwand und blinzelte, wie aus langem Schlaf erwacht, als die Lüster wieder aufflammten.

»Meine Damen und Herren«, rief der Botschafter und klatschte in die Hände wie ein Zeremonienmeister. »Seien Sie so freundlich und heißen Sie den großen Magier Monsieur Meliès und seine hochbegabten Schauspieler willkommen!«

Am Eingang des Bankettsaals erschien siegesgewiss lächelnd ein junger Mann mit schwarzem Spitzbart, der verschmitzt in die Runde grüßte und dann direkt auf Klimt zuschritt. Begleitet wurde er von der Tänzerin aus dem Film, hinter ihm aber tauchte ein Mann auf, der wie ein gespenstisch zu Leben erwachtes Porträt Klimts aussah. Durch die applaudierenden Gäste hindurch kam der falsche Klimt auf den Maler zu und verbeugte sich formvollendet.

»Ich hoffe sehr, dass ich Sie nicht gekränkt habe«, sagte er.

Allmählich löste sich Klimt aus seiner Erstarrung. Doch der Schock über diese Begegnung saß tief.

»Gekränkt?« Er hüstelte nervös.

»Nun, immerhin habe ich mir erlaubt, als Ihr Abbild aufzutreten, und ich wäre untröstlich, wenn ich Ihnen damit eine unangenehme Überraschung bereitet hätte«, erklärte der Schauspieler.

»Nein, im Gegenteil. Ich fühle mich geschmeichelt«, widersprach Klimt matt, auch wenn ihm die Anwesenheit seines Doppelgängers immer unheimlicher wurde.

Nun kam auch die Tänzerin näher.

»Also hat Ihnen der Film gefallen, großer Meister?«, fragte sie kokett.

Es ist ein Spiel, nur ein Spiel, eine große Illusion, redete sich Klimt ein, kein Grund, sich zu ängstigen. Das Beste würde sein, unbefangen zu tun und sich nichts vom Grauen anmerken zu lassen, das ihn befallen hatte.

»Ich fand den Film außerordentlich bemerkenswert. Meinen Glückwunsch!«, bekräftigte er.

»Sie sollten lieber Monsieur Meliès gratulieren«, flötete die Schauspielerin. Sie winkte den Regisseur heran, der bescheiden das Lob abwehrte. »Ach, das war doch nichts Besonderes, nur eine Spielerei. Wir haben es letzte Woche zusammengeschustert. Was mich viel mehr interessiert, Herr Klimt: Wie gefiel Ihnen Cléo Lea?«

»Sie würde einen Stein zum Schmelzen bringen«, erwiderte Klimt und ließ seinen Blick über den Körper des Mädchens wandern.

»Dann sind Sie also damit einverstanden, mich zu malen?«

Verblüfft drehte Klimt sich um. Denn nicht die Tänzerin hatte gesprochen, sondern eine Dame, die ihr zwar zum Verwechseln ähnlich sah, deren selbstbewusster und eleganter Auftritt jedoch spüren ließ, dass sie keine Schauspielerin war, sondern eine Dame der besten Gesellschaft.

Das Spiel war also noch nicht zu Ende. War sie die echte Cléo Lea? Und warum hatte sie sich vervielfältigen lassen? Gab es echte und falsche Varianten von Menschen? Konnte er denn überhaupt sicher sein, dass er selbst echt war?

»Herr Klimt«, insistierte die Dame, »werden Sie das Porträt anfertigen? Sie haben es versprochen!«

»Aber ja, natürlich.« Klimt fühlte sich überrumpelt.

»Dann gefällt Ihnen auch die echte Cléo Lea?«, fragte der Klimt-Darsteller.

»Mit ihrem Charme würde sie einen Stein sogar zum Lächeln bringen«, entgegnete Klimt galant und spürte deutlich, dass die Dame ihn nicht nur mit Interesse betrachtete. Neugier lag in ihrem Blick, und etwas Laszives, Verworfenes.

Unwillkürlich suchte er mit den Augen nach Midi. Er entdeckte sie weit entfernt am anderen Ende des Saals an einen Kaminsims gelehnt, von wo aus sie die Szene beobachtete.

»Wenn Sie mich mögen, dann werden Sie die echte Cléo Lea umso mehr ins Herz schließen«, gurrte die Schauspielerin.

Unschlüssig sah Klimt zwischen den beiden Frauen hin und her. Sie waren kaum zu unterscheiden, eine seltsame Laune der Natur offenbar, oder das Werk eines begabten Maskenbildners, und nur das Kostüm der Schauspielerin und die elegante Robe der Dame machten es ihm möglich, die echte und die falsche Cléo Lea auseinander zu halten. In seiner Phantasie begann er sich auszumalen, welche Unterschiede sich wohl in erotischer Hinsicht auftun würden. Echt und falsch – gab es das überhaupt? War nicht jede Frau, jeder Mensch unverwechselbar?

»Oh, ich – ich wüsste nicht, welche der beiden Damen ich den Vorzug geben sollte«, erwiderte Klimt.

Und er? War er Klimt? Oder nur ein Klimt-Darsteller? Er spürte erneut einen leichten Schwindel.

»Sie würden sich wundern, wenn Sie die beiden Frauen näher kennen würden«, flüsterte der Schauspieler ihm zu, »die echte Cléo Lea ist nicht halb so echt wie die falsche.«

Hilfesuchend sah Klimt wieder zu Midi hinüber, die noch immer am Kaminsims lehnte. Regungslos betrachtete sie das Geschehen, und auch wenn sie so weit entfernt stand, dass sie kein Wort von dem Gesprochenen verstehen konnte, schien sie doch zu ahnen, dass sich soeben ein Verwirrspiel anbahnte, welches einen unwiderstehlichen Reiz auf Klimt ausüben musste. Sie kannte sein Faible für die Labyrinthe des Erotischen, und sie sah, dass es nicht nur eine Faszination war, die ihn völlig gefangen nahm, sondern dass er sich soeben verliebt hatte, verhängnisvoll und unwiderruflich.

Schuldbewusst sah Klimt auf seinen Teller, auf dem das Eis längst geschmolzen war. Nie hatte Midi ihm Vorwürfe gemacht. Sie ertrug die permanente Anwesenheit nackter Modelle in seinem Atelier ebenso wie seine zahllosen Liaisons, aber ein erotisches Geplänkel direkt unter ihren Augen, das war mehr, als er ihr zumuten mochte.

Er bat eine Dame am Tisch um ihr Opernglas und richtete es direkt auf seine Freundin. Deutlich sah er ihr trauriges Lächeln. Midi ahnte alles, wusste alles. Sie waren Liebeskomplizen, von Anfang an. Und wenn er auch die tiefe Resignation in ihren Augen kaum ertrug, so wusste er doch, dass er Cléo Lea wiedersehen musste. Beide Cléo Leas.

ERSCHÖPFT SANKEN KLIMT und Midi Stunden später auf das Bett ihrer Suite im Hotel Ritz. Es war bereits früher Morgen, sie hatten die halbe Nacht getrunken und geredet, dennoch spürte Klimt eine nervöse Unruhe.

Cléo Lea. Echt und falsch, falsch und echt. Was war das für ein seltsames Frauenpaar? Ihre zwillingshafte Erscheinung erregte ihn, unablässig zerbrach er sich den Kopf darüber, wie er sie wiedersehen könnte.

»Die haben uns für ein Ehepaar gehalten, Gustl«, sagte Midi schläfrig, während sie mit den seidenen Troddeln des Bettüberwurfs spielte.

Zerstreut streichelte Klimt ihren Arm. »Wünschst du dir das?«, fragte er. »Dass sie das von uns denken?«

Midi hörte auf, mit den Troddeln zu spielen.

»Und du?«, fragte sie zurück.

Er zog seine Hand zurück und öffnete die obersten Knöpfe seines Hemds. Ihm war heiß. »Eigentlich ist es mir egal.«

Er stand unvermittelt auf, holte sein kleines, rotes Skizzenbuch aus dem Koffer und begann zu zeichnen.

»Jedenfalls habe ich ihnen gesagt, dass wir nicht verheiratet sind«, erklärte Midi.

»Dass wir nicht – was?«

Klimts Gedanken kreisten um Cléo Lea. Sie war da, selbst wenn er die Augen schloss, atmend und lebendig lag sie vor ihm, und auf dem Blatt Papier vor ihm entstanden schon ihre Arme, ihre Brüste, ihre Schenkel. Ihre Hand hatte sie an den nackten Schoß gelegt, es war eine intime Geste, und sein Blick, der Blick des Zeichners, war der eines Voyeurs, der sie unbemerkt beobachtete.

»Verheiratet«, wiederholte Midi.

Klimt seufzte, während er wie besessen weiterzeichnete. »Das wussten die sowieso. Aber weil wir Österreich repräsentieren, mussten wir zumindest offiziell so tun, als ob wir ein Ehepaar wären.«

»Mussten wir? Das ist doch absurd«, widersprach Midi.

Sie sah ihm über die Schulter. In den wenigen Minuten waren schon mehrere Skizzen entstanden, sie zeigten Cléo Lea nackt, in selbstvergessener Intimität, und daneben in ihrer Rolle als Tänzerin.

»Gustl, ach, Gustl«, flüsterte Midi und fuhr ihm zärtlich durchs Haar.

Unwillig sah er von seiner Arbeit auf. »Was denn?«

»Du magst sie, stimmt's?«

»Hmmm ...«

Enttäuscht, dass er offenbar wenig Lust auf Zärtlichkeiten hatte, ließ Midi von ihm ab und kauerte sich neben ihn aufs Bett, die Arme um die Knie geschlungen. »Ja, ich weiß es, du magst sie. Du wirst sie treffen, bestimmt. Schon heute Nacht? Habt ihr euch verabredet?«

Klimt antwortete nicht. Versunken in das Liniengeflecht, das auf dem Papier vor ihm entstand, zeichnete er weiter, spielte mit Form und Bewegung und widmete sich ganz den delikaten Details einer Halsbeuge, eines abgewinkelten Arms, eines anmutig erhobenen Fußes.

Mit alarmiertem Blick verfolgte Midi, wie immer neue Zeichnungen entstanden, längst waren es unzählige Cléo Leas, die in seinem Skizzenbuch tanzten, sich träge räkelten und sich ihm willig darboten.

»Bestimmt hast du schon ein Rendezvous mit ihr«, versuchte sie es aufs Neue. »Tu mir nur den Gefallen und erzähl mir alles, ja? Wirklich alles. Abgemacht?«

»Abgemacht«, murmelte Klimt, aber es klang eher so, als wolle er einer lästigen Befragung ein Ende setzen.

Midi umfasste ihre Knie fester. »Komisch. Du hast immer gesagt, dass du ohne Modell nicht arbeiten kannst. Du brauchst sogar Modelle, die buchstäblich zum Greifen nah sind, von morgens bis abends lungern sie in deinem Atelier herum, damit du jederzeit – Anschauungsmaterial hast. Aber diese Cléo Lea kannst du plötzlich mühelos aus dem Gedächtnis zeichnen …«

Er legte pathetisch eine Hand auf die Brust. »O ja, aus dem Gedächtnis, par cœur.«

Midi lächelte bitter. »Sieh an, der kleine Gustl spricht plötzlich französisch. Was für eine Überraschung, oder sollte ich besser sagen: quelle surprise?«

Bei den letzten Worten hatte sie Strümpfe und Schuhe ausgezogen und den Gürtel ihres Bademantels gelöst. Es war nicht zu übersehen, dass sie noch einmal all ihre Verführungskünste aufbieten wollte, um Klimt von Cléo Lea abzubringen. Neckisch schob sie einen nackten Fuß auf Klimts Schoß und bewegte ihn sacht.

Er sah auf. Abwehr und Schuldbewusstsein lag in seinen Zügen. »Nein, Midi, jetzt nicht. Du bist wunderschön, aber …«

»Aber was?«

Er warf das Skizzenbuch auf den Boden und stand auf. Ruhelos wanderte er durch die Suite, Cléo Lea vor Augen, doch Midis Bild schob sich immer wieder davor und verfolgte ihn. Wohin er sich auch wendete, überall gab es Spiegel, die ihm Midi zeigten. Sie hatte inzwischen ihren Morgenmantel ausgezogen und stellte sich ihm in ihrer Nacktheit zur Schau.

Langsam ging er auf einen großen, kostbar gerahmten Wandspiegel zu und strich zärtlich über die kalte, glatte Fläche, als wolle er Midi nur von fern liebkosen, statt ihre Haut zu berühren.

Es klopfte. Rasch warf Midi ihren Morgenmantel über und öffnete die Tür.

»Guten Abend. Eine Nachricht für Monsieur Klimt«, sagte ein verschlafener junger Page. »Bitte hier unterschreiben.«

Mit einem Satz war Klimt neben Midi, unterschrieb auf dem bereitgehaltenen Block und schnappte sich den Brief wie eine Beute. Ohne ein Wort ging er zum Fenster, drehte seiner Freundin den Rücken zu und öffnete den Umschlag. Midi folgte ihm, aber als sie versuchte, einen Blick auf das Geschriebene zu erhaschen, ging er einen Schritt beiseite.

»Ist der Brief von ihr?«, fragte Midi.

»Der ist von irgendjemand«, erwiderte er abweisend.

»Ein Rendezvous?«

»Mmh.«

»Heute Nacht?«

Statt zu antworten, knöpfte Klimt sein Hemd wieder zu, zog das Jackett an und griff nach seinem Mantel. Cléo Lea hatte ihm einen Liebesbrief geschickt, eine Einladung, sie noch in derselben Nacht zu treffen, und wenn auch keine Adresse angegeben war, so war er doch mit »Cléo Lea« unterschrieben, und das reichte ihm. Als er zur Tür ging, folgte Midi ihm, völlig aufgelöst. Stumm blieb sie vor ihm stehen, ihr Blick war leer.

»Ja, ich weiß, was du sagen willst«, seufzte er. »In Wien erwarten sie mich.«

Sie schwieg eine Weile. Dann fragte sie zaghaft: »Kommst du mit? Oder bleibst du trotzdem in Paris?«

»Woher soll ich das wissen?«

Mit hängenden Schultern stand Midi da. »Ich fahre morgen, Gustl. Zur Not auch allein. Ich werde in meinem Atelier gebraucht. Übrigens – ich habe dir noch gar nicht meine neuesten Entwürfe gezeigt, oder? Willst du sie sehen? Bestimmt willst du sie sehen! Warte, nur einen winzigen Moment! Ich habe sie dabei!«

Klimt hatte schon eine Hand auf die Klinke gelegt, aber er brachte es nicht übers Herz, sie einfach herunterzudrücken und zu gehen. Midis ebenso verzweifeltes wie durchschaubares Ablenkungsmanöver rührte ihn.

»Na gut. Lass mal sehen ...«, willigte er ein.

»Aber Herr Klimt hat doch keine Zeit«, ahmte Midi den Tonfall eines beleidigten kleinen Mädchens nach, dem man den Gutenachtkuss verweigert hatte. »Der Herr Klimt hat ja ein Rendezvous.«

Er zuckte die Achseln. »Zeig schon her.«

Erleichtert darüber, dass sie ihn wenigstens noch ein paar Minuten aufhalten konnte, lief sie zu ihrem Koffer und zog eine Mappe hervor, die sie ihm brachte.

»Gut, sehr gut«, sagte er, nachdem er die Zeichnungen flüchtig durchgeblättert hatte, dann gab er ihr die Mappe zurück, und Midi wusste, dass sie ihren letzten Trumpf verspielt hatte.

»Bitte, erzähl mir alles. In allen Einzelheiten«, bettelte sie. »Wir haben eine Abmachung, dass wir keine Geheimnisse voreinander haben, denk dran.«

Klimt war schon längst draußen auf dem Hotelflur, als er noch halbherzig erwiderte: »Klar, in allen Einzelheiten.«

Seit er den Brief erhalten hatte, wollte er nur noch zu Cléo Lea, magisch angezogen von diesem rätselhaften Zwillingsgestirn, das ihn in die Nacht hinaustrieb.

ALS ER DIE TREPPEN hinuntergelaufen war, spähte er in der Hotelhalle nach dem Boten, der den Brief abgegeben hatte. Doch alles war wie ausgestorben zu dieser späten Stunde, nur der Portier war zu sehen, ein älterer Herr, der auf dem Empfangstresen eingenickt war. Klimt wollte schon auf die Straße stürzen, um dort nach dem geheimnisvollen Überbringer zu suchen, als zu seinem größten Erstaunen der Botschaftsbeamte hinter einer Säule hervortrat.

»Was, Sie?«, entfuhr es Klimt.

»Zu Ihren Diensten«, gab der Beamte knapp zurück.

»Tut mir Leid, ein andermal, ich habe jetzt eine höchst romantische Verabredung«, erwiderte Klimt barsch.

Der Beamte blieb ungerührt. »Ihre Kutsche steht bereit.«

Stirnrunzelnd musterte Klimt den kleinen, schmalen Mann in seinem schwarzen Anzug. »Sagen Sie mal – wer sind Sie wirklich?«

Mit einer leichten Verbeugung antwortete der Sekretär: »Ihr untertänigster Diener.«

Seine servile Attitüde reizte Klimt. »Ich brauche keinen Diener«, zischte er.

Der Beamte lächelte schlau. »Oh, da wäre ich mir an Ihrer Stelle nicht so sicher. Wussten Sie, dass man Paris das neue Babylon nennt? Paris ist ohne Frage eine sehr unterhaltsame Stadt, aber auch höchst gefährlich.«

»Ach, und ausgerechnet Sie wollen meinen Aufpasser spielen?«, fragte Klimt. »Oder verhält es sich umgekehrt?«

»Ich befinde mich hier in einer inoffiziellen, um nicht zu sagen – privaten Mission«, antwortete der Beamte. »Es ist in diesem speziellen Falle nicht die österreichische Botschaft, die mich beauftragt hat. Es ist die Person, die Ihnen den Brief schickte.«

Klimt wurde blass. »Sie meinen – die falsche Cléo Lea?«

»Falsch, echt – was tut das schon zur Sache?«

Er winkte Klimt ihm zu folgen und führte ihn auf die Straße, wo tatsächlich bereits eine Pferdekutsche wartete. Noch während sie einstiegen, gab der Beamte dem Kutscher ein Zeichen loszufahren und trieb ihn zur Eile an. Sofort setzte sich die Droschke in Bewegung und rumpelte mit hohem Tempo über das Pflaster. Bald verließen sie die großen Boulevards und bogen in ein Gewirr schmaler Seitenstraßen ein.

»Sehen Sie, Herr Klimt, ich bin ein Mann mit vielen Funktionen«, erklärte der Beamte und lehnte sich in das genoppte Lederpolster zurück. »In der Kulturabteilung der Botschaft werde ich nur bescheiden entlohnt. Da ist man auf gewisse Nebeneinkünfte angewiesen.«

Skeptisch musterte Klimt sein Gegenüber. Er verabscheute den Ausdruck der Verschlagenheit auf dem Gesicht des Sekretärs, aber seine Neugier siegte.

»Diese Cléo Lea, die falsche Cléo Lea, ist sie reich?«

Der Beamte lachte durchtrieben. »Die falsche nicht, die echte schon. Sie hat einen reichen Gönner, um es offen zu sagen.«

»Einen Gönner. Natürlich. Aber wer profitiert von diesem Herrn? Die echte oder die falsche Cléo Lea?«

»Macht das einen Unterschied?«

In diesem Augenblick hielt die Kutsche an. Der Beamte stieg aus. Auch Klimt sprang auf die Straße, und sogleich wurden sie von einem halbwüchsigen Jungen in Empfang genommen, der seine Schirmmütze schräg auf dem Kopf trug und sich ihnen keck in den Weg stellte.

»Na endlich! Beeilen Sie sich! Sie warten schon!«, rief er dem Beamten zu. »Und sie sind sehr ungeduldig!«

»Wer – sie?«, fragte Klimt verständnislos, aber der Botschaftssekretär legte einen Finger an die Lippen.

»Wie ich sehe, sind Sie jetzt in guten Händen«, raunte er leise. »Viel Vergnügen!«

»Wie, Sie lassen mich allein?«

Klimt wurde es unbehaglich zumute. Die Straße war dunkel und öde, nur ein paar Katzen jagten durch den Unrat, der überall lag, und auch das Haus vor ihnen wirkte wenig einladend. Ganz offensichtlich standen sie vor dem Hintereingang eines hochherrschaftlichen Palais, aber kaum ein Licht war hinter den hohen Fenstern zu sehen.

Der Beamte verbeugte sich und verkündete: »Mein Auftrag ist beendet.«

Dann war er plötzlich im Dunkel verschwunden und die Kutsche raste davon.

Im selben Moment erschien ein schwarz gekleideter Diener, der den Jungen verscheuchte und sich dann vor Klimt verneigte.

»Hier entlang, bitte«, sagte er und geleitete Klimt ins Haus.

Dann sprach er kein Wort mehr, sondern führte seinen nächtlichen Gast stumm über breite Treppen und Gänge. Cléo Leas Gönner musste sehr wohlhabend sein, ging es Klimt durch den Kopf, während er dem Diener durch das Palais folgte. Die aufwendig geschnitzten Holztäfelungen waren behängt mit Gemälden, Blattgold schimmerte auf den Stuckaturen, und selbst die Flure waren mit erlesenen Kunstgegenständen dekoriert, die den ebenso ausgefallenen wie teuren Geschmack ihres Besitzers verrieten.

»Wir sind da«, ließ der Diener ihn schließlich wissen und deutete auf eine geschnitzte Flügeltür.

Sie betraten einen Salon mit goldenen Seidentapeten, der,

ganz nach dem Geschmack der Jahrhundertwende, im chinesischen Stil, möbliert war – ein kostbares Arrangement aus anmutig bemalten Paravents, prachtvollen Porzellanvasen und bunten Fächern an den Wänden. In der Mitte stand ein ausladendes Bett, dessen gelbseidene Bettdecke zurückgeschlagen war. Hier ließ ihn der Diener ohne jede Erklärung allein.

Ratlos sah Klimt sich um. Niemand war zu sehen. War das ein Teil des Spiels? Wer wartete hier auf ihn? War es tatsächlich die schöne Cléo Lea? Oder hatte man ihn in die Irre geführt?

Als sich endlich eine Tür öffnete, kam ein livrierter Butler herein. Er schnippte eine Münze hoch, ließ sie auf die Bettdecke fallen und ging wortlos davon.

»Halt, warten Sie, ich habe eine Frage«, rief Klimt ihm nach, doch der Butler hatte ihn nicht gehört. Oder tat er nur so, als ob er ihn nicht verstand? Wenig später kehrte er zurück und stellte eine Karaffe mit zwei Gläsern auf einen kleinen chinesischen Lacktisch. Beherzt ging Klimt zu ihm und legte ihm eine Hand auf die Schulter.

»Ich habe Sie etwas gefragt«, sagte er scharf.

»Pardon, ich spreche kein Deutsch«, erwiderte der Butler auf Deutsch, ohne eine Miene zu verziehen. »Im Übrigen ist es mir nicht erlaubt, das Wort an Sie zu richten.«

Dann verschwand er ein weiteres Mal.

Im selben Moment vernahm Klimt eine Frauenstimme. »Sind Sie bereit, mon cher?«

Schnell drehte er sich um, konnte jedoch nirgends jemanden entdecken. Er sah hinter den Paravents nach, dann hinter den schweren Samtportieren, aber vergebens. Ein helles Lachen erklang, und nun erschien endlich die Frau, nach der er sich verzehrte, seit er den Film gesehen hatte, die Frau, deren Schönheit und Rätselhaftigkeit ihn vom ersten Augenblick an betört hatte. Vergnügt trat Cléo Lea hinter einem lebensgroßen Porträt hervor, das sie selbst zeigte. Ihr langes, dunkles Haar umfloss sie wie ein federleichter Umhang, in der Hand hielt sie eine gelbe Lilie. Sie war völlig nackt.

Sprachlos stand Klimt da. Ihre Nacktheit überwältigte ihn, denn sie wirkte gleichermaßen schamlos wie unschuldig. Cléo Lea verzichtete völlig auf die übliche Kunst der Verführung, auf die listenreiche Andeutung von Strumpfbändern und Dessous, stattdessen bewegte sie sich mit solch ungezwungener Freimütigkeit, als sei es völlig natürlich für sie, sich nackt zu präsentieren.

»Bon soir«, begrüßte sie ihn. »Ich freue mich, Sie zu sehen.«

Sie legte die Lilie auf das Bett, nahm einen Zigarillo aus einem Lackkästchen und zündete ihn an. Dann betrachtete sie amüsiert ihren Gast, der noch immer keinen Ton von sich gab und sie nur anschaute.

Sichtlich genoss sie seine Verblüffung, als sei ihr ein gut geplanter Streich gelungen, und sie begann, übermütig um ihn herumzutänzeln.

»Nanu, warum denn so schüchtern?«, fragte sie und blies ihm Rauch ins Gesicht. »Oder hat es Ihnen die Sprache verschlagen?«

»Sie sind …«, Klimt zögerte, denn er war sich nicht sicher, welche der beiden Frauen er vor sich hatte, »… sind Sie Cléo Lea de Mérode Castro?«

Unsicher machte er einen Schritt auf sie zu, dann wurde er mutiger und hielt sie fest, sodass er sie genauer in Augenschein nehmen konnte.

Sie war so grazil und mädchenhaft, wie er sie aus dem Film in Erinnerung hatte, und wieder verwirrte ihn ihr herausforderndes Lächeln. War das eine Offerte? Hatte sie ihn wirklich zu einem Rendezvous bestellt?

»Ich habe bereits erfahren, dass Sie die Frauen gern nackt

und bloß mögen«, erklärte Cléo Lea und nahm einen Zug von ihrem Zigarillo. »Bei uns in Frankreich dagegen ist solch plumpe Nacktheit ein wenig aus der Mode gekommen.«

Während sie sprach, hatte sie sich geschickt aus seinem Griff befreit, war zu dem kleinen Tisch gegangen und hatte aus der Karaffe ein bräunliches Getränk in die Gläser gegossen. Klimt folgte mit gebanntem Blick jeder ihrer Bewegungen. Schließlich kehrte sie mit den gefüllten Gläsern zu ihm zurück.

»Sie mögen doch Whisky?«, raunte sie und hielt ihm ein Glas hin. »In Paris sind nämlich alle ganz verrückt danach. Auch wenn solche Moden schnell wechseln in dieser Stadt. Vor einem halben Jahr war es Portwein mit einem Schuss Magenbitter. Und letztes Jahr trank man Erdbeeren in Champagner. Sie werden es nicht glauben, aber die Leute nahmen Champagner zu sich wie Kurgäste in Baden-Baden ihr Heilwasser. Ganz Paris machte eine Champagner-Kur!«

Sie nippte belustigt am Whisky, dann wurde sie ernst. »Schluss jetzt mit diesem Klatsch. Sollten wir nicht besser zum Geschäft kommen?«

Klimt sah sie erstaunt an. »Welches Geschäft meinen Sie?«

Sie drohte ihm kokett mit dem Finger. »Immerhin haben Sie heute Abend öffentlich verkündet, dass Sie mich malen werden. So sehr mir der Gedanke auch schmeichelt – noch kann ich es kaum glauben!«

»Doch, doch, es stimmt«, versicherte Klimt. »Ich bin einverstanden.«

Cléo Lea deutete auf das Gemälde, hinter dem sie verborgen gewesen war. »Was halten Sie davon? Es wurde im englischen Stil gemalt. Graf Wolff Helenia vergöttert es.«

»Graf – wer?«, fragte Klimt. »Ich kann mich nicht erinnern, seine Bekanntschaft gemacht zu haben.«

Sie kicherte. »Oh, es handelt sich um einen sehr guten Freund. Sogar um einen ausgesprochen intimen Freund.«

Was war das für ein merkwürdiges Spiel, in das er da verstrickt wurde? Und was war, wenn der geheimnisvolle Gönner sie entdeckte, hier, in dieser überaus verfänglichen Situation? Einen neuen Skandal konnte er sich beim besten Willen nicht leisten, jetzt, wo er gerade die rettende offizielle Anerkennung erhalten hatte.

»Dieser – Freund, ist er zurzeit in Paris?«, fragte er daher vorsichtig.

Cléo Lea zuckte die Schultern. »Wer weiß? Der Graf ist ein passionierter Weltenbummler.«

»Und Sie – bummeln nicht mit ihm durch die Welt?«

»Mal ja, mal nein«, antwortete sie ausweichend. »Die Reisen des Grafen sind sehr speziell, um nicht zu sagen exzentrisch. Er ist ein bemerkenswerter Mann mit einer überaus lebhaften Einbildungskraft. Einmal hat er mit seiner Yacht den gesamten afrikanischen Kontinent umsegelt, ohne auch nur ein einziges Mal seine Kabine zu verlassen. Er zieht es vor, die Dinge aus sicherem Abstand heraus zu betrachten.«

Sie zeigte auf das Gemälde. »Meine Porträts ausgenommen. Die kann er stundenlang anschauen und sich ganz in sie hineinversenken. Im Grunde seines Herzens ist er ein Künstler, nur leider ohne Talent. Da er mich also nicht selbst porträtieren kann, beauftragt er begabte Maler, es für ihn zu tun.«

»Ich verstehe«, entgegnete Klimt, auch wenn er die Spielregeln noch immer nicht ganz durchschaute.

»Sie haben mir noch gar nicht gesagt, was Sie von diesem Porträt halten«, sagte Cléo Lea vorwurfsvoll. Sie ging zu dem Gemälde und fuhr spielerisch mit einem Finger über die Leinwand, als berühre sie ihr eigenes Spiegelbild. Das Kunstwerk wirkte eigentümlich aufgesetzt und süßlich und ließ nichts von der flirrenden, nervösen Sinnlichkeit Cléo Leas erkennen.

Klimt streifte das Bild mit einem kurzen Blick. »Es wäre amüsant, wenn es nicht so lächerlich wäre«, meinte er.

»Sie fällen harte Urteile«, gab Cléo Lea zurück. »Aber das macht nun mal den Künstler aus. Künstler sind grausam …«

Sie tänzelte ihm entgegen und blieb so dicht vor ihm stehen, dass er die erweiterten Pupillen in ihren wasserhellen Augen erkennen konnte.

»Ich mag die Grausamkeit der Künstler, sie hinterlässt so einen bittersüßen Nachgeschmack«, flüsterte sie.

Ihre Stimme, ihr Blick, ihr lüstern nach vorn geschobenes Becken waren eine einzige Aufforderung und fegten seine letzten Bedenken hinweg. Grob riss er sie an sich und küsste ihren Mund, ihre Zähne stießen aneinander, seine Zunge suchte sich roh ihren Weg, seine Finger gruben sich in ihre nackten Schultern.

Cléo Lea wehrte sich nicht, aber nach einer Weile warf sie den Kopf zurück und leckte sich die Mundwinkel wie eine kleine Katze.

»Dieser Nachgeschmack passt gut zu Ihrem Schweißgeruch«, keuchte sie. »Komisch, Sie riechen ein bisschen nach Pferd, mit einem leichten Aroma von Äpfeln …«

Sie wollte sich ihm ein weiteres Mal entziehen, aber er hielt sie fest umfangen und presste sie an sich, bis sie seine Küsse erwiderte und sich an ihn schmiegte, während seine Hände über ihren schmalen Körper glitten.

»Wie ungeduldig Sie sind«, stöhnte Cléo Lea. »Haben Sie etwa noch eine weitere Verabredung?«

»Nein, ich … ich liebe Sie«, murmelte Klimt.

Sie lachte. »Ach ja? War es etwa Liebe auf den ersten Blick?«

»Ja, Liebe auf den ersten Blick!«, bekräftigte er und streifte mit den Lippen ihren Hals.

»Vorsicht. Liebe auf den ersten Blick überlebt selten die ersten Sekunden«, raunte sie in sein Ohr.

Klimt aber hörte gar nicht mehr hin. Er packte sie und

drängte sie zum Bett. Rücklings fiel sie auf die Seidendecke und er legte sich schwer auf sie.

»Himmel noch mal, wir führen uns auf wie Bauern!«, rief Cléo Lea. »Das mag einen gewissen Charme haben, aber ich liebe es mehr auf die kultivierte Art. Ziehen Sie sich erst mal aus …«

»Aber ich dachte …«

»Ich bitte Sie, tun Sie jetzt bloß nicht schüchtern. Ich bin nackt, warum sollten Sie nicht auch nackt sein? Egal, lassen Sie mich nur machen. Wenn es etwas gibt, was Männer nicht können, dann sich ausziehen.«

Mit geübten Bewegungen knöpfte sie seine Jacke auf und streifte sie ihm über die Schultern, dann folgten die Weste und das Hemd, schließlich öffnete sie flink seine Hose und zog sie ihm über die Schenkel.

Er stöhnte auf. Aus dem Augenwinkel nahm er noch einen großen Spiegel wahr, in dem ihre nackten Körper verdoppelt wurden, dann fiel er wie besinnungslos über Cléo Lea her.

Hinter dem Spiegel, unsichtbar für die Liebenden im Salon, saßen ein älterer Herr und eine Dame, aus deren Perspektive der Spiegel durchsichtig wie Glas war. Sie hatten es sich auf einer Couch bequem gemacht und verfolgten gebannt den Liebesakt, der sich schnell zu einem nahezu gewalttätigen, tierhaften Treiben steigerte.

»Man kann es nicht leugnen – der Junge hat eine ungeheure Anziehungskraft«, wandte sich Graf Octave Wolff Helenia schmunzelnd an die Dame neben ihm, ein Ebenbild jener Cléo Lea, in deren Armen Klimt gerade lag. Nur ihr Haar trug sie nicht offen, sondern kunstvoll hochgesteckt, und sie hatte einen roten Morgenmantel aus besticktem Satin übergeworfen.

»Meiner Meinung nach wirkt er ziemlich anstrengend«, erwiderte sie.

»Aber die Kleine ist gut«, sagte der Graf mit Kennerblick, ohne die Augen von dem brutalen Liebesakt abzuwenden. »Sehr gut sogar.«

»Findest du wirklich?« Die Dame schien wenig begeistert von diesem Lob. »Mir kommt sie ein wenig steif vor …«

Sie nahm einen Schluck Wein und setzte eine betont gelangweilte Miene auf.

»Vergiss nicht, das ist ungeheuer anstrengend für sie. Sieh ihn dir an, dieser Mann ist ja ein Wahnsinniger«, gab der Graf zu bedenken.

Dann schwiegen sie, während sie dem Paar zusahen, das sich immer leidenschaftlicher auf dem Bett wälzte. Klimt hatte Cléo Lea auf den Bauch gedreht und bäumte sich mit verzerrtem Gesicht auf.

»Auf jeden Fall ist er einer von der schnellen Sorte«, seufzte der Graf. »Stammt er aus dem Volk?«

»Keine Ahnung«, entgegnete die Dame.

»So, beste Cléo, ich fürchte, jetzt bist du dran«, befahl der Graf auf einmal mit leiser Stimme. »Die Münze hat entschieden, dass du die Zweite bist. Na los, geh schon.«

Sie stand auf, und auch Klimts Gespielin auf der anderen Seite des Spiegels erhob sich und lief zu einem Vorhang, hinter dem eine verborgene Tür in das geheime Boudoir des Grafen führte. Die beiden Frauen sahen sich kalt in die Augen, als sie einander begegneten, dann schlüpfte die Dame mit den hochgesteckten Haaren durch die Geheimtür in den Salon und blieb hinter dem Vorhang stehen.

»Cléo? Wo bist du?«, rief Klimt.

Eine Weile lag er noch ermattet auf dem Bett, dann stand er auf, machte ein paar Schritte auf seine unsichtbaren Zuschauer zu und betrachtete sein Spiegelbild, um schließlich erneut nach Cléo Lea zu suchen.

»Was für wilde Augen er hat, zum Fürchten!«, flüsterte der

Graf und zog die nackte junge Frau zu sich auf die Couch. »Du warst großartig, meine Kleine. Mal sehen, wie schnell er sich erholt.«

»Er ist ein Tier«, flüsterte Cléo Lea. »Ein starkes, wildes Tier.«

Klimt hatte die Suche nach seiner entflohenen Geliebten aufgegeben und schenkte sich gerade ein weiteres Glas Whisky ein, als plötzlich Cléo Lea wieder vor ihm stand – im roten Morgenmantel und mit hochgesteckten Haaren.

»Ich hoffe, ich habe Sie nicht allzu lange warten lassen«, sagte sie.

Unsicher musterte Klimt ihren Aufzug. »Das kann doch gar nicht sein – wie um alles in der Welt haben Sie sich denn so schnell angezogen? Und die Frisur! Es sei denn ...«

Er betrachtete sie aufmerksam. Dann huschte ein schlaues Lächeln über sein Gesicht. »Es sei denn, Sie sind nicht die echte Cléo Lea!«

Sie rollte theatralisch mit den Augen.

»Männer!«, schnaubte sie. »Immer braucht ihr Beweise! Immer wollt ihr Gewissheit!«

Der Maler nahm einen Schluck Whisky und musterte sie mit halb geschlossenen Augen, wie ein unfertiges Bild.

»Das sind nicht Sie, oder?«, fragte er.

»Was soll denn das heißen – ich bin nicht ich?«, versetzte die Frau mit gespielter Entrüstung. »Wer dann?«

»Cléo Lea de Mérode Castro.« Klimt nannte feierlich ihren vollen Namen.

Sie sah ihn mitleidig an. »Nun erzählen Sie mir bitte nicht, Sie sind auf das arme Hascherl hereingefallen, das so tut, als sei sie ich. Diese kleine Tänzerin ist doch nur eine blasse Kopie, die man nicht ernst nehmen kann, oder?«

Ohne sich weiter auf einen Disput um echte oder falsche Frauen einzulassen, ergriff Klimt ihr Kinn und küsste sie. Sie stöhnte auf, dann stieß sie ihn von sich, streifte sich den Morgenmantel von den Schultern und warf ihn zu Boden. In aufreizender Pose blieb sie vor ihm stehen. »Sehen Sie mich an. Sehen Sie mich genau an. Glauben Sie mir jetzt, dass ich die echte Cléo Lea bin?«

»Ja, ich glaube Ihnen«, murmelte Klimt, zog sie wieder an sich und küsste ihren Nacken.

»Und Sie haben versprochen, mein Porträt zu malen?«

»Ja, ja.«

»Dann kann ich davon ausgehen, dass Sie Ihr Versprechen halten werden?« Sie hob den Morgenmantel vom Boden auf.

»Ja doch«, antwortete Klimt.

Eine dumpfe Ahnung befiel ihn, dass er in eine Falle gegangen war, dass ein noch raffinierterer Regisseur als Meliès seine Gefühle für Cléo Lea in Szene setzte und ihn mit Haut und Haar vereinnahmte, als Mann, als Maler, ja als Darsteller seiner eigenen Leidenschaften, aber zu übermächtig war der Reiz dieser planvoll inszenierten Versuchsanordnung, als dass er sich noch ernsthaft wehren wollte, und so verdrängte er diesen unheilvollen Gedanken schnell.

»Welch große Ehre, verehrter Meister«, lachte Cléo Lea und hängte ihm ihren Morgenmantel um die Schultern.

Ihre Stimme war ein paar Schattierungen dunkler als die ihrer Vorgängerin, so kam es Klimt vor, doch er hatte es aufgegeben, nach Unterschieden zu suchen, er wollte nicht mehr wissen, wer echt und wer falsch war, alles was zählte, war der Wunsch, dieses unheilvolle Wunder einer mehrfachen Existenz zu bestaunen und zu genießen.

Cleó Lea warf ihm eine Kusshand zu und setzte sich auf eine niedrige Chaiselongue, wo sie die Beine übereinander schlug. Klimt folgte ihr und legte sich vor ihr auf den Boden, versunken in den Anblick eines Körpers, der sich innerhalb weniger Minuten verdoppelt hatte.

»Ich möchte ein Porträt, auf dem ich angezogen, und ein zweites, auf dem ich völlig unbekleidet bin«, verkündete Cléo Lea und zündete sich einen Zigarillo an. »Sie sind der einzige Künstler, dem es gelingt, eine Frau in Kleidern zu malen und sie doch nackt wirken zu lassen.«

Klimt rückte näher, bis er buchstäblich zu ihren Füßen lag.

»Ich male die Frauen erst nackt, bevor ich die Kleider male«, erklärte er. »Nur so kann ich sie wirklich erfassen.«

Cléo Lea lehnte sich in den gelben Kissen zurück und lächelte.

»Sehr schlau, Meister Klimt. Aber wissen Sie, was mich noch mehr wundert? Umgekehrt haben Ihre Frauenakte die bemerkenswerte Eigenschaft, den Betrachter ihre Nacktheit nicht spüren zu lassen. Weil er – etwas anderes sieht …«

Klimt richtete sich halb auf. »Etwas anderes? Was denn?«

Cléo Lea blies eine Rauchwolke aus. »Ach, es ist schwer, das richtige Wort zu finden, nennen wir es Vollkommenheit – Harmonie – oder besser Ausdruckskraft? Aber wie auch immer, mein guter Freund Graf Wolff und ich sind uns völlig einig darüber, dass Sie der einzige Maler sind, dem das glücken kann. Wie lange werden Sie übrigens dafür brauchen? Eine Woche? Zwei? Ich habe nicht viel Zeit.«

Heftig schüttelte Klimt den Kopf. »Zwei Wochen? Das reicht nicht mal annähernd. Ich brauche länger.«

Er berührte sacht ihren Fuß, dann ihre Wade und ließ seine Finger vorsichtig höher wandern, als prüfe er die Proportionen einer Skulptur.

»Lassen Sie uns gleich morgen anfangen«, schlug Cléo Lea vor und öffnete leicht die Schenkel.

»Morgen, also gut, morgen«, raunte Klimt, unverwandt ihre Beine streichelnd.

»Und nicht vergessen, es müssen zwei Bilder werden …«

Die letzten Worte stöhnte sie nur noch, denn Klimt hatte

ihren Schoß erreicht, und nun verstummte sie unter seinen Händen.

Jenseits des Spiegels war der Graf kurz eingenickt, doch jetzt richtete er sich wieder auf und verfolgte das Schauspiel im Atelier.

»Oh, diese kleine Hure«, murmelte er. »Sieh nur, wie sie sich windet, und dann dieser Ausdruck in ihren Augen – noch nie habe ich sie so gesehen.«

Er schien ehrlich überrascht. Die junge Frau, die ihr Liebesspiel mit Klimt bereits hinter sich hatte, lehnte sich an ihn und berührte seine Wange.

»Jetzt nicht«, sagte er und schob ihre Hand weg. »Ich bin ein wenig durcheinander. Ich weiß nicht, was ich fühlen soll.«

»Vielleicht – Eifersucht?«, fragte die Schauspielerin.

»Nein, nein«, protestierte der Graf. »Erstaunen. Und Bewunderung.«

Er begann zu husten und hielt beide Hände vor den Mund, geschüttelt von Atemnot.

»Ich muss zu Bett«, keuchte er. »Morgen geht es früh raus, wegen der Pferderennen.«

Cléo Lea rückte enttäuscht von ihm ab. »Wie du willst.«

Der Graf hatte sich von seinem Asthmaanfall erholt und wischte sich die Lippen mit einem seidenen Tuch ab. »Gib dem Diener Anweisung, dass er sich um alles kümmern soll.«

Sie erhoben sich beide, warfen einen letzten Blick auf das Treiben jenseits des Spiegels und löschten das Licht.

NOCH AUSDRUCKSVOLLER DIE HALTUNG«, rief Klimt quer durch den Salon. »Sie sehen viel zu unbeteiligt aus! Ich will die Angst in Ihren Augen spüren!«

Es war heller Tag, aber dennoch hatte er mehrere Scheinwerfer aufgestellt, die auf Cléo Lea gerichtet waren. Sie war blasser als sonst, unter ihren Augen lagen bläuliche Schatten. Bewegungslos stand sie vor einem bemalten Paravent, in einem schwarzweißen Kostüm mit passendem Fächer, und bemühte sich nach Kräften um eine wirkungsvolle Pose. Eine Hand hatte sie erhoben, die andere hielt den Fächer gespreizt, ihre Augen waren weit aufgerissen.

»So?«, fragte sie. »Ist es besser so?«

Klimt formte mit Daumen und Zeigefingern einen Rahmen, durch den er Cléo Leas Haltung begutachtete, dann schüttelte er den Kopf. Er sah zu dem Fotografen, der eine unförmige Apparatur neben ihm aufgebaut hatte. Sein Kopf war unter einem schwarzen Tuch verschwunden, und in regelmäßigen Abständen ertönte das Klacken des Auslösers, wie ein mechanischer Herzschlag.

»Es muss intensiver sein, lebendiger!«, befahl Klimt. »Das reicht noch nicht!«

Cléo Lea stierte noch einen Moment wie von Sinnen in das Auge der Kamera, dann stampfte sie mit dem Fuß auf.

»Vier Tage lang geht das jetzt schon so«, schrie sie und stieg von dem kleinen Podest herab, auf dem sie gestanden hatte. »Vier Tage lang immer dasselbe!«

Sie deutete mit dem Kinn auf den Fotografen. »Was macht er denn die ganze Zeit? Es müssen inzwischen ein paar hundert Fotos sein, die Sie von mir haben! Wie lange soll das noch so weitergehen?«

Klimt aber betrachtete sie versonnen, und es war deutlich zu bemerken, dass er ihr gar nicht zuhörte.

»Ja, schon besser. Bleib so, genau so. Wir brauchen einen unverwechselbaren Ausdruck, etwas ganz Besonderes«, überlegte er laut, »es könnte auch Freude sein, Ekstase oder sogar – Liebe.«

Zornig lief Cléo Lea auf ihn zu und schlug ihm den Fächer ins Gesicht. »Ich war einverstanden, für einen Maler Modell zu stehen, aber nicht für einen simplen Knipser. Sie sind ja noch schlimmer als dieser Nadar, bei dem man stundenlang stillstehen muss!«

»Nur eine Aufnahme noch«, bat Klimt. »Nur eine einzige.«

»Tut mir Leid. Ich habe einen Krampf.«

Sie ließ sich auf die Chaiselongue fallen und fächelte sich Luft zu. Dann griff sie zu dem Zweig gelber Lilien, der in einer chinesischen Vase stand, und zupfte verdrossen ein paar Blütenblätter ab.

»Na gut, dann ziehen Sie sich um«, gab Klimt nach. »Und Sie«, er wandte sich an den Fotografen, »warum gehen Sie nicht einfach einen Schluck trinken? In einer halben Stunde machen wir dann weiter.«

Der Fotograf war noch nicht ganz aus der Tür, als Klimt auch schon seine Arme um Cléo Lea legte. Noch immer zitterte sie vor Wut, aber als er ihr leise Liebeserklärungen ins Ohr raunte und sie zu streicheln begann, gab sie seiner Umarmung nach und ließ sich widerstandslos küssen.

Als der Fotograf eine halbe Stunde später zurückkehrte, machten sie sich wieder an die Arbeit.

»Probieren wir den seidenen Morgenmantel«, schlug Klimt

vor. »Er hat diese blassen Rottöne von Mohn und Tulpen, das passt wunderbar zu Ihrem Teint.«

»Also gut, dieses eine Mal noch«, willigte Cléo Lea ein.

Sie wirkte kraftlos und entmutigt, trotz des erotischen Intermezzos.

»Dreiundsechzig Kleider haben wir jetzt ausprobiert«, sagte sie leise. »Das ist meine komplette Garderobe. Es gibt nicht ein einziges anderes Stück, das ich noch anziehen könnte.«

»Nachdem Sie alles angezogen haben – warum ziehen Sie jetzt nicht einfach alles aus?«, fragte Klimt.

»Wie bitte? Nein, niemals!« Entsetzt zeigte sie auf den Fotografen. »Nicht in seiner Gegenwart. Und schon gar nicht am helllichten Tag. Das wäre obszön!«

Klimt sah von seinem Skizzenbuch auf und klappte es resigniert zu. Er nahm einen Schluck Wein, warf noch einmal einen Blick auf Cléo Lea und stemmte angriffslustig die Arme in die Hüften.

»Moment mal, Mademoiselle«, sagte er unwirsch. »Wir sind nicht zum Vergnügen hier. Und ich werde nicht eher nach Wien zurückkehren, bis ich alles zusammenhabe, was ich für das Porträt brauche.«

Er nickte dem Fotografen zu und wieder verschwand er unter seinem schwarzen Tuch. Eine Weile war nichts zu hören als das rhythmische Klicken des Apparats.

»Wie lange wird es denn noch dauern? Werden wir überhaupt jemals fertig?«, fragte Cléo Lea kleinlaut.

Klimt dachte nach. »Hm, etwa zwei Wochen.«

Erregt schloss sie den Gürtel ihres Morgenmantels.

»Große Güte! Zwei Wochen? Sind Sie verrückt? In vier Wochen muss ich in New York sein, ich habe ein Engagement an einem großen Theater!«

»Kein Problem, ein Monat dürfte reichen«, erwiderte Klimt.

Cléo Lea lachte hektisch auf. »Sie vergessen wohl, dass ich erst mal nach New York fahren muss. Schiffe können bekanntlich nicht fliegen!«

»Dann komme ich eben mit«, gab der Maler zurück.

»Ich werde wahnsinnig. Dabei haben mich alle vor Ihnen gewarnt. Ich hätte wissen müssen, worauf ich mich einlasse.«

Ohne sie aus den Augen zu lassen, flüsterte Klimt dem Fotografen ein weiteres Mal zu: »Warum gehen Sie nicht einfach einen Schluck trinken? In einer halben Stunde machen wir dann weiter.«

»Nein«, schrie Cléo Lea völlig außer sich. »Er bleibt, wo er ist! Was geht hier vor? Bitte, bitte sagen Sie es mir …«

Und während Klimt sie mit kühlem Interesse betrachtete, wie ein Schmetterlingsforscher, dem ein besonders exotisches Exemplar ins Netz gegangen war, brach sie zusammen.

ES WAR SPÄTER ABEND, als Klimt zum Haus des Grafen zurückkehrte. Er hatte Cléo Lea ein wenig Zeit gegeben, sich auszuruhen, und war den ganzen Tag lang durch die Stadt gestreift, hatte am Ufer der Seine an den Ständen der Buchverkäufer gestöbert, in einem Café eine Suppe gegessen und erwartete ungeduldig das Wiedersehen mit seinem widerspenstigen Modell.

Eilig stieg er aus der Kutsche und lief die Stufen zum Hintereingang hoch. Das Haus wirkte noch dunkler und verlassener als sonst, nicht das winzigste Licht war zu sehen.

Beunruhigt sah er an der Fassade hoch. Was hatte das zu bedeuten? Schlief Cléo Lea etwa schon? Oder war sie mit dem geheimnisvollen Grafen ausgegangen? Er zerrte an dem schweren gusseisernen Türklopfer und ließ ihn auf das Holz des Portals fallen, aber niemand öffnete. Wieder und wieder klopfte er, erst beharrlich, dann wütend, bis plötzlich der Junge auftauchte, der ihn auch in der ersten Nacht empfangen hatte.

»Keiner da«, verkündete er knapp. »Was soll der Krach? Sie brauchen hier gar nicht so wild zu klopfen. Alle sind abgereist, heute Nachmittag bereits.«

»Abgereist?«, wiederholte Klimt atemlos. »Einfach so?«

»Ganz genau«, antwortete der Junge. »Gehen Sie nach Hause. Hier ist keiner, der auf Sie wartet. Kein Graf, keine Cléo Lea. Tja, Pech gehabt. Aber Sie sind nicht der Erste, der nach ihnen fragt.«

»Und du? Was passiert mit dir?«, fragte Klimt.

Der Junge verzog das Gesicht. »Da machen Sie sich mal keine Sorgen. Ich kann schon selbst auf mich aufpassen.«

Er zeigte auf eine kleine Truppe von Jungen in seinem Alter, die sich ein paar Meter entfernt an der Hausecke herumdrückten. Als Klimt einen Schritt auf sie zu machte, stoben sie davon.

»Gefallen sie Ihnen? Sind hübsche Kerle«, grinste der Junge.

Er betrachtete Klimt anzüglich. »Haben Sie Interesse? Sie können uns auch zu zweit oder zu dritt haben. Aber ich merke schon, Sie haben andere Vorlieben, na, dann eben nicht.«

Klimt sah noch einmal verzweifelt an der Fassade empor. Noch glaubte er nicht an die Geschichte mit der Abreise. War da nicht gerade ein schwacher Lichtschein gewesen, oben im ersten Stock?

Er packte den Jungen grob am Kragen. »Da ist doch jemand drinnen«, schrie er.

Dann ließ er von ihm ab und begann wieder, an der Tür zu pochen. Und tatsächlich hörte er nun Schritte, die sich näherten. Die Tür wurde knarrend geöffnet, und zu seiner größten Überraschung erschien der Regisseur Meliès, mit einer Kerze in der Hand.

»Nun sieh mal einer an, wen wir hier haben«, sagte der Regisseur amüsiert. »Ich habe Sie schon erwartet. Das heißt ...«, er leuchtete dem Maler ins Gesicht, »ich hatte eigentlich den anderen erwartet, den falschen Klimt!«

Klimt erschrak, als nun auch sein Doppelgänger aus dem Dunkel der Straße auftauchte und ihn beiläufig begrüßte, als sei er nicht im Mindesten erstaunt.

»Ach, mein armer Klimt«, rief Meliès aus, »Sie sind ja völlig verwirrt! Aber Sie haben mein aufrichtiges Mitgefühl. Kommen Sie herein.«

Er winkte den Maler ins Haus, und zusammen mit seinem

Doppelgänger und dem Jungen folgte Klimt ihm durch das nachtdunkle Palais, dessen kalte Pracht im schwachen Schein der Kerze noch düsterer wirkte als sonst.

»Es tut mir Leid, dass wir hier im Dunkeln herumtappen müssen«, entschuldigte sich Meliès. »Aber als der Graf abreiste, hat er den Strom abgestellt.«

Sie stiegen die steinernen Stufen des Treppenhauses hoch und gelangten in den Salon, wo der Fotograf sie begrüßte, als habe er die seltsame Gästeschar schon erwartet.

»Wo ist Cléo Lea?«, fragte Klimt.

»Die Damen ziehen es vor, abwesend zu sein«, erwiderte der Fotograf gleichmütig.

Meliès führte sie zu einem rohen Holztisch, den Klimt hier noch nie gesehen hatte. Um den Tisch herum standen einfache, schmucklose Stühle. Die kostbaren Möbel, die Paravents und Fächer aber waren verschwunden, nichts war mehr geblieben von der Eleganz des kostbaren Interieurs.

»Nehmen Sie doch erst mal Platz«, wisperte der Regisseur und steckte die Kerze in einen Leuchter.

Dann holte er eine Flasche Anisschnaps und Gläser und schenkte ein. Sie setzten sich und tranken stumm. Fieberhaft überlegte Klimt, was das alles bedeuten mochte. Wohnte der Fotograf hier? Und der Regisseur? Was taten sie alle in dem verlassenen Haus?

»Bitte«, hob er an, »ich muss es wissen. Ist Cléo Lea wirklich abgereist?«

Meliès zwinkerte ihm zu, dann entgegnete er schalkhaft: »Ach ja, die gute Cléo Lea, wo ist sie bloß geblieben? Leider lässt mich mein Gedächtnis im Stich. Aber warten Sie …«

»Ja?«, ermunterte ihn Klimt hoffnungsvoll.

Meliès streckte seine Hände aus und formte sie zu einer Schale.

»Hier drin bewahre ich alles auf, was mir widerfahren ist«,

erklärte er. »Ich habe Hände mit Erinnerungsvermögen … sollen wir sie befragen?«

Ohne eine Antwort abzuwarten, zog er ein Stück schwarzer Pappe und eine Schere hervor.

»Alors, dann lassen Sie uns mal sehen«, murmelte er.

Mit geisterhafter Geschwindigkeit begann er, einen Scherenschnitt aus der Pappe herauszuarbeiten, einen Schattenriss, in dem Klimt sofort die Silhouette Cléo Leas erkannte. Als er fertig war, hielt Meliès den Scherenschnitt zwischen den Fingern fest und bewegte ihn so geschickt hin und her, dass die tänzerische Anmut seiner Bewegungen das Schauspiel ahnen ließ, das sich nun anschloss.

»Die Kerze«, flüsterte Meliès. »Ich brauche die Kerze.«

Klimt schob die Kerze vor den Regisseur hin und schon begann Cléo Leas Schatten im flackernden Kerzenschein lebensgroß an der Wand zu tanzen. So real, so lebendig war sie, dass der Maler vergaß, wem er diese Darbietung zu verdanken hatte.

»Das ist sie! Cléo«, schrie er.

Er sprang auf und berührte wie von Sinnen den Schatten, streichelte ihn und küsste die kalte Wand.

»Also, mir reicht's«, sagte der Junge. »Das ist ja ein Irrer. Ich mach die Biege.«

Er tippte einen Finger an die Schirmmütze und sprang davon.

»Warte auf mich, Süßer, ich komme mit«, rief der falsche Klimt ihm hinterher. »Wenn die Herren mich dann mal entschuldigen würden …«, und schon waren beide verschwunden.

Meliès sah ihnen kopfschüttelnd nach. »Eine Schande, oder? Als Schauspieler ist er brillant, nur diese unselige Schwäche für kleine Jungen …«

Das Schattenspiel war vorbei. Der Fotograf und Meliès

starrten trübsinnig vor sich hin und Klimt hielt es nicht mehr auf seinem Stuhl. Erregt durchwanderte er das Atelier, auf der Suche nach einem Brief, nach irgendeiner Botschaft von Cléo Lea, bis er in einer Ecke unter einem schmutzigen Tuch das angefangene Porträt entdeckte, zusammen mit seinen Skizzen und den zahllosen Fotografien.

MIDI!«

Übernächtigt und erschöpft wie er war, hatte Klimt nach seiner Ankunft am Wiener Hauptbahnhof eine Droschke genommen und sich unverzüglich zu Midis Atelier bringen lassen. Er wusste selbst nicht mehr, wie lange er in Paris gewesen war, die Treffen mit Cléo Lea, das Ritual der Porträtsitzungen, ihre Liaison, die so jäh geendet hatte, das alles hatte jedes Zeitgefühl verdrängt. Aus Wochen waren Monate geworden, und er fremdelte, als er Midis Salon betrat, verstört wie ein Schiffbrüchiger, der nur knapp eine Havarie überlebt hatte.

»Gustl! Du bist wieder da?«, rief Midi aus. »Warte, ich habe noch einige Kundinnen, setz dich doch erst mal, du siehst furchtbar aus.«

Dann wandte sie sich wieder einer Dame zu, die vor einem mannshohen Schneiderspiegel stand und sich Stoffmuster über die Schulter gelegt hatte.

Am liebsten wäre Klimt sofort mit Midi in die Wohnung hinter dem Salon gegangen und hätte sich einfach aufs Bett gelegt. Aber nun ging er folgsam zu der kleinen Sitzgruppe, die sich im hinteren Teil des Salons befand, und ließ sich auf einen Stuhl fallen. Noch immer summte das monotone Geräusch des Eisenbahnwaggons in seinen Ohren, seit Tagen hatte er nicht mehr richtig geschlafen, zu aufgewühlt war er von der plötzlichen Flucht Cléo Leas gewesen. Aber nachdem er noch einige Male zum Palais gefahren war, das er stets unverändert verlassen vorfand, war er Hals über Kopf abgereist.

Alles, was er aus Paris mitgebracht hatte, war eine Tasche voller Zeichnungen und Fotos, viele hundert mochten es sein.

»Gustl? Alles in Ordnung?«, rief Midi zu ihm herüber. »Möchtest du etwas trinken?«

»Später«, sagte er kraftlos. »Kümmere dich nicht um mich, ich warte. Du hast schließlich auch lange genug auf mich warten müssen.«

»Nur noch zwei Abendkleider, dann bin ich bei dir!«

Schon läutete die Ladenglocke und neue Kundinnen strömten herein. Midis Modeatelier galt als eines der avantgardistischsten der Stadt. Zusammen mit ihren beiden Schwestern hatte sie sich schnell einen Namen gemacht, mit ihren gleichermaßen schlichten wie spektakulären Kreationen, die durch den Verzicht auf jedwede Verzierung einen neuen, ungewohnt puristischen Reiz erhielten. Die Damen der Wiener Gesellschaft waren entzückt von den modernistischen Kleidern und orderten, auch wenn sie dafür schwindelerregende Preise zahlen mussten.

Klimt lehnte seinen Kopf an die Stuhllehne. Die kühle, geradezu klinische Atmosphäre tat ihm gut. Midis Modesalon war auch für seine ungewohnt moderne Einrichtung berühmt: Die besten Kunsthandwerker der Stadt hatten die Räume in strengem Schwarzweiß gestaltet, mit glänzenden weißen Schleiflackwänden und schnörkellosen schwarzen Möbeln. Der Fußboden war mit grauem Filz ausgelegt statt, wie üblich, mit Parkett, was allgemein als eine kleine Sensation galt.

Alles wirkte so sachlich und hell wie ein Operationssaal, nur die Vitrinen, in denen Nationaltrachten aus aller Welt hingen, gaben dem Salon etwas Farbe.

Er beobachtete Midi von weitem, ihre hochaufgerichtete, schmale Gestalt, die Geschmeidigkeit, mit der sie sich bewegte. Er liebte das unerschütterliche Selbstbewusstsein, mit dem sie ihre Kundinnen empfing, die bestimmte Art, mit der sie ihren Geschmack durchsetzte. Zweimal im Jahr fuhr sie nach Paris, wo sie sich in den mondänen Haute-Couture-Ateliers umsah, um den französischen Dernier Cri dann für ihre Wiener Kundschaft zu adaptieren. Oft brachte sie kostbare Stoffe von dort mit, Mousseline und Seide, Crèpe de Chine und Taft. Auch Klimt hatte schon Stoffe für sie entworfen, mit kostbar schimmernden floralen Mustern, die an seine Landschaftsbilder erinnerten.

Endlich verabschiedete Midi die letzte Kundin. Mit einem Glas Wasser in der Hand setzte sie sich zu ihm und musterte ihn, als suche sie in seinem Gesicht nach verräterischen Spuren seiner Pariser Eskapaden.

»Du bist inzwischen sicherlich Champagner gewohnt …«, sagte sie sarkastisch, während sie ihm das Glas reichte.

Klimt fiel auf, dass ihre Augen noch immer jenen tief melancholischen Ausdruck hatten wie damals auf dem Bankett in Paris, als er Cléo Lea kennen gelernt hatte.

»Ach, Gustl«, seufzte Midi, »es gibt Monate, die vergehen so langsam wie Jahre. Unsere Freunde hier in Wien haben mich die ganze Zeit mit Fragen bedrängt. Die Journalisten übrigens auch. Sie wollten wissen, wo du bist, was du tust, wann du wiederkommst. Es gab Gerüchte, du hättest in Paris eine Affäre. Das Maul haben sie sich alle zerrissen. Glaub mir, es war gar nicht so einfach, den Skandal aus den Blättern herauszuhalten.«

Sie sprach ohne Vorwurf, wirkte aber so traurig und mutlos, dass Klimt schuldbewusst zu Boden blickte.

»Liebste Midi«, begann er schließlich, »wir waren uns doch einig, dass du und ich – na, du weißt schon, ich bin nun mal ein notorischer Frauenheld, wie man so sagt.«

»Stimmt.«

»Ich sehe es aber ganz deutlich – du bist wütend …«

»… wie nie zuvor«, ergänzte Midi in ironischem Tonfall.

»Ist es wegen – Cléo Lea?«

Midi besah eingehend ihre Schuhspitzen. »Ja, genau.«

Klimt trank langsam von dem Wasser, als wollte er Zeit gewinnen, um über eine gute Erklärung nachzudenken.

»Hör mir zu«, fuhr er nach einer Weile fort. »Diese Cléo Lea ist nicht einfach irgendeine Frau. Sie hat sich auf geheimnisvolle Weise vervielfältigt. Wo sie auch auftaucht, sorgt sie sogleich für Aufsehen in der Gesellschaft, aber sie tut es auf ihre ganz eigene Art. Es ist wie ein Bild, das sie von sich formt und das plötzlich in unendlich vielen Varianten herumvagabundiert. Wenn Cléo Lea tanzt, dann kann sie gleichzeitig in Moskau, Venedig und Chicago sein.«

Midi sah zur Decke, sichtlich verstimmt von seiner ebenso abenteuerlichen wie vagen Schilderung.

»Ach ja? Moskau, Venedig und Chicago?«, gab sie zurück. »Und was ist mit Paris? Hast du sie nun getroffen oder nicht?«

Wieder griff Klimt nach dem Wasserglas und trank.

»Es gibt viele Cléo Leas«, gestand er schließlich leise, »es gibt sogar so viele, dass man nicht einmal mehr sagen kann, welche denn nun wirklich die echte ist.«

»Und ich weiß nicht, was ich glauben soll«, erwiderte Midi. »Dabei hatten wir abgemacht, dass du mir alles erzählst, in allen Einzelheiten.«

Klimt stöhnte auf. »Na gut, wenn du darauf bestehst, sollst du auch den Rest erfahren: Da ich nun mal so sehr empfänglich bin für die Reize des schönen Geschlechts, habe ich mich gleich in alle Cléo Leas verliebt!«

Seine Freundin verschränkte feindselig die Arme. »Gratulation. Dann hattest du ja reiche Auswahl.«

Wie Fremde saßen sie nebeneinander. Midi betrachtete ihre Fingernägel, Klimt strich sich nervös den Bart. Dann schnitt er eine Grimasse. »Entschuldigung. Ich mache Scherze. Obwohl es nicht gerade eine lustige Angelegenheit ist.«

Seine Freundin betrachtete ihn nachdenklich und kam offenbar zu dem Schluss, dass nichts Gescheites aus ihm herauszubringen war.

»Hast du eigentlich bemerkt, dass ich ein wenig zugenommen habe, seitdem ich in Paris war?«, fragte sie. »Und das, obwohl ich kaum etwas essen konnte ohne dich?«

»Meine Abwesenheit ist dir eben gut bekommen«, lächelte Klimt.

Er streckte seine Hand aus, um ihre Hüfte zu berühren. Midi trug das Kleid, das er am liebsten an ihr mochte, er hatte sie sogar darin gemalt – es war ein langes, fließendes Gewand, auf dessen leichtem, meerblauem Stoff weiße und goldene Ornamente wie die Zeichnung einer Fischhaut eingewebt waren. Midi wirkte darin wie eine Nixe. Das Kleid war tief dekolletiert, um den Hals jedoch lag ein breiter Schal, der dem offenherzigen Ausschnitt alle Anzüglichkeit nahm. Die blau schillernde Farbe stand in sanftem Kontrast zu ihrem blassen Teint und ihrem braunen Haar.

»Und dir? Ist Paris dir auch gut bekommen?«, wollte Midi wissen.

»Ich habe dich vermisst«, sagte Klimt. »Darum habe ich dir auch eine Postkarte nach der anderen geschrieben.«

Midi schob seine Hand weg. »Weißt du, was meine Freundin Serena sagt? Ein Mann, der jeden Tag zehn Postkarten schreibt, muss sehr verliebt sein.«

»Ganz genau«, pflichtete Klimt ihr erleichtert bei.

»Ja, aber dann fügte sie hinzu: verliebt in eine andere, nicht in dich. Er ist verliebt in eine Frau, die er vergessen will.«

Wie ertappt starrte Klimt Midi an, dann verbarg er das Gesicht in seinen Händen.

»Es stimmt, Midi«, stöhnte er.

Wie auf ein geheimes Stichwort hin ertönte in diesem Moment die Ladenglocke und Serena Lederer kam zur Tür herein, ganz in Perlgrau gekleidet und mit einem breitkrempigen Hut auf dem schwarzen Haar, der ihr Gesicht beschattete. Sie begutachtete ein hellblaues Abendkleid, das halbfertig auf eine Schneiderpuppe drapiert war, dann sah sich suchend um.

»Ach, da haben wir ja den Helden der Weltausstellung«, rief sie aus, als sie Klimt neben Midi entdeckte.

Sofort lief sie auf die beiden zu. Sie küsste Midi flüchtig, drückte Klimt die Hand und setzte sich zu ihnen.

»Und, wie ist es gelaufen in Paris?«, fragte sie gespannt.

»Leider nicht so, wie ich es mir gewünscht hatte«, antwortete er.

Vorsichtig schaute er zu Midi, die einen unbeteiligten Gesichtsausdruck aufgesetzt hatte. Serena streifte ihre Handschuhe ab und legte sie vor sich auf den Tisch.

»Du musst Midi ja sehr vermisst haben, nach der Anzahl der Postkarten zu urteilen, die du ihr geschrieben hast«, lächelte sie unbefangen.

Klimt und Midi tauschten einen kurzen Blick. Midi hatte ihm offenbar eine kleine Falle gestellt und er war mitten hineingetappt. Serena jedenfalls hatte seine Schreiblust ohne Argwohn kommentiert.

»Kommst du wegen des Kostüms für den Maskenball?«, wechselte Midi das Thema. »Morgen ist es fertig.«

»Ja, und es wird ganz und gar außergewöhnlich, das ist nicht zu übersehen. Eine Stola bräuchte ich noch dazu. Wenn Sie wollen, Klimt, können Sie es sich später mal ausleihen. Für Ihr Schubert-Gemälde haben Sie sich doch auch Kleider bei mir geliehen. Und gleich wurde das Bild ein großer Erfolg!«

»Ja, den Schubert haben sie alle geliebt«, grummelte Klimt. »An dem gab es nichts auszusetzen.«

Serena kicherte. »Ich habe meinem Mann die Geschichte mit den Katzen erzählt.«

Midi runzelte die Stirn. »Welche Geschichte denn?«

»Was, die kennst du nicht?«, fragte Serena Lederer triumphierend. »Offenbar weißt selbst du nicht alles über deinen Freund. Er hat eben seine dunklen Seiten – und auch ein paar Geheimnisse, nicht wahr, Gustav?«

»Er hat mir versprochen, dass er keine Geheimnisse vor mir hat«, erklärte Midi tapfer.

»Da wäre ich mir nicht so sicher«, gluckste Serena. »Ich weiß, wovon ich rede.«

Midi wurde blass. Klimt streichelte beruhigend ihre Hände.

»Sie spricht von den Katzen, Midi, nur von den Katzen«, sagte er.

Wieder kicherte Serena wie ein Backfisch. »Also, das große Geheimnis ist: Er lässt seine Katzen auf die Bilder pinkeln, weil er meint, Katzenurin sei das beste Fixativ!«

Entgeistert sah Midi ihn an.

»Stimmt«, grinste Klimt.

»Stellt euch vor«, erzählte Serena belustigt, »mein Mann will alle seine Bilder kaufen, vorausgesetzt, sie haben einen Firnis aus Katzenpisse!«

»Was für eine appetitliche Geschichte«, bemerkte Midi. »Und was für appetitliche Geheimnisse.«

Sie stand auf und ging in die Arbeitsräume hinter dem Salon, wo sich neben Nähstuben und Umkleidekabinen auch eine Teeküche befand. Zwei Näherinnen bestickten gerade Mieder und eine ihrer Schwestern schnitt Stoffe zu. Als sie Midi erblickte, legte sie die Schere beiseite und richtete sich halb auf.

»Na? Ist der streunende Kater wieder da?«, fragte sie höhnisch.

»Ganz egal, wo er sich herumtreibt – er kommt immer wieder zu mir zurück«, erwiderte Midi.

»Armes Hascherl«, knurrte die Schwester. »Ich an deiner Stelle …«

Aber Midi hatte sich schon abgewandt. Sie war daran gewöhnt, dass ihre Großzügigkeit Klimt gegenüber als grenzenlose Naivität ausgelegt wurde, immer wieder warf man ihr vor, sich an einen Mann zu verschwenden, der niemals ein treusorgender Gatte sein würde. Weder ihre Schwestern noch ihre Freundinnen konnten ihre Großzügigkeit verstehen.

Während sie auf die Stimmen drüben im Salon horchte, auf das helle Lachen von Serena und die schartige Stimme ihres Freundes, setzte sie Teewasser auf. Fast erschrak sie, als die Ladenglocke ein weiteres Mal läutete. Durch ein kleines Fenster in der Trennwand zum Salon sah sie Berta Zuckerkandl. Die Kunstkritikerin zückte ihr Monokel und betrachtete interessiert das Kostüm auf der Schneiderpuppe. Dann erst entdeckte sie die Anwesenden.

»Ja, servus«, rief die Kritikerin. »Da komme ich ja im rechten Moment, wie's aussieht. Endlich ist er zurückgekehrt, der verlorene Sohn der Stadt! Es wurde aber auch Zeit, bester Klimt. Man hat Sie vermisst in Wien. Und? Haben Sie aus Paris neue Anregungen mitgebracht?«

Sie setzte sich und lächelte den Maler gut gelaunt an. »Man kennt das ja, da fahren die Wiener Künstler nach Paris, und wenn sie zurückkommen, dann haben sie die neueste Pariser Mode im Gepäck – so wie Midi! Wo ist sie überhaupt?«

In diesem Moment kehrte Midi mit einem Tablett zurück.

»Ah, Midi. Schön wie immer!«, rief Berta Zuckerkandl aus. »Nicht, dass ich mir etwas aus Kleidern machen würde, aber Sie sehen einfach entzückend aus in dieser Farbe.«

Sie nahm die Tasse Tee, die Midi ihr reichte, und trank einen Schluck.

»Erinnert Ihr Euch noch, wie der Maler Engelhardt aus Paris zurückkam und die ehrenwerte ›Genossenschaft bildender Künstler‹ mit seinen impressionistischen Bildern schockierte?«, erzählte sie. »Dabei war es doch allerliebst, das nackte Mädchen unter dem Kirschbaum, so anmutig hingetupft. Und, Meister Klimt? Was haben Sie nun für uns?«

Der Maler zögerte.

»Er ist müde«, antwortete Midi für ihn. »Er muss sich erst mal ausruhen.«

Serena Lederer spürte die Verlegenheit, in die Berta Zuckerkandl Klimt und Midi gebracht hatte.

»Gehen Sie auch auf den großen Kostümball bei den Primavesis?«, erkundigte sie sich daher, um das Gespräch auf ein unverfänglicheres Terrain zu lenken. »Es soll ja ein glanzvolles Fest werden. Ich habe mir bei Midi schon eine herrlich verrückte Robe machen lassen. Morgen soll sie fertig sein.«

Entrüstet wehrte die Kritikerin ab. »Ich? Auf einem Kostümball? Das ist doch nicht Ihr Ernst! Im Übrigen habe ich gar keine Einladung.«

Sie trank einen weiteren Schluck Tee und fragte dann: »Habt Ihr schon die Zeitungen gelesen? Ein Kollege von mir schrieb doch tatsächlich, dass er Klimt schon deshalb nie kritisieren würde, weil sein ruhiger und ernster Charakter ihn so sympathisch mache. ›Dieser Mann ist eine unschuldige verirrte Seele‹, heißt es wörtlich!«

»Kennen Sie alles auswendig, was über Klimt geschrieben wurde?«, neckte Serena sie.

»Aber ja. Und ich plane bereits seine nächste Verteidigung.«

Midi sah Klimt nachdenklich an. »Ruhig und unschuldig? Dieser Kritiker kennt Gustav offenbar nicht.«

»Wer kennt ihn schon …«, seufzte Serena.

BLUMEN«, FLÜSTERTE KLIMT. »Blumen für Cléo Lea …«

Hunderte von Rottönen hatte er schon auf seiner Palette gemischt, hatte mit Weiß und Gelb und Blau experimentiert, auch mit einem fruchtigen Orange, aber immer wieder war es eine ganz bestimmte Rotnuance, die er suchte und endlos variierte, bis sie auf der Leinwand zu glühen begann, in hell lodernden Abstufungen, das Bildnis einer zarten, schwarzhaarigen Frau umhüllend, die mit anmutiger Geste einen Zweig gelber Lilien hielt. Ihr geöffneter seidener Morgenmantel gab den Blick auf ihren nackten Busen frei, doch in ihrer Haltung lag weder Lüsternheit noch Frivolität, sie schien vielmehr selbstvergessen auf etwas zu horchen, auf Musik vielleicht oder auf die Schritte ihres Geliebten. Ihre eigentümlich verschleierten Augen richteten sich am Betrachter vorbei auf etwas, das weit entfernt lag, so als träume sie nur.

Rote Rosen, roséfarbene Anemonen, wilder Mohn und ganze Sträuße gelber Lilien standen in Bechern, Gläsern und Vasen überall im Atelier verteilt, auf Tischen, Stühlen und auf dem Boden. Ihr Duft lag schwer im Raum. Wieder und wieder trug Klimt neue Farbschichten auf, bettete das zarte, blasse Gesicht ganz in diese Wolke aus Blumen, die lebendig zu sein schien, atmend und schwellend wie ein Organismus.

»Gustav? Bist du fertig? Wo bleibst du denn?«

Midi stürzte zur Tür herein, ihre Handtasche schwenkend. Entgeistert deutete sie auf Klimts bekleckstes Gewand.

»Wie siehst du bloß aus?«, rief sie. »Wir müssen zur Eröffnung, die Ausstellung beginnt gleich. Was machst du überhaupt? Du malst? Ohne Modell?«

Sie umrundete die Staffelei und wich unwillkürlich zurück.

»Um Gottes willen, das ist ja – sie!«, presste sie hervor.

»Es heißt ›Die Tänzerin‹«, erklärte Klimt ruhig.

Er legte Pinsel und Palette beiseite. »Gefällt es dir? Sieh doch, ich habe ganz neue Rottöne gefunden.«

Sie senkte den Kopf.

»Ja, es ist schön«, sagte sie dann, aber es war nicht zu überhören, dass sie nur mit größter Mühe ihre Tränen zurückhielt. Ihre Stimme bebte und sie wischte sich mit der Hand über die Augen.

»Kommst du jetzt?«, fragte sie nach einer Weile. »Oder kannst du dich nicht von ihr trennen?«

Die Katzen lieferten sich eine wilde Verfolgungsjagd durchs Atelier, während Klimt sich ankleidete. Sie wirbelten ganze Stapel von Zeichnungen durcheinander, die zerknittert und zerrissen umherflogen.

»Gustav, die Zeichnungen«, rief Midi.

»Egal«, ertönte seine Stimme aus dem Zimmer. »So sind sie nun mal, die Katzen, wild sind sie und eigensinnig.«

Eilig versuchte Midi, ein paar Blätter zu retten. »Diese verrückten Viecher machen alles kaputt! Du hättest sie längst rausschmeißen sollen, die kleinen Biester!«

»Lass sie nur«, wiegelte Klimt ab, während er fertig angezogen wieder ins Atelier kam. »Das sind doch nur Skizzen, ich brauche sie nicht mehr, unbedeutende Vorstufen von Bildern, für die sich doch sowieso keiner interessiert.«

»Aber dies hier …« Midi hob ein Blatt auf. »Dies ist wunderschön.«

Sie wies auf die leicht hingeworfene Zeichnung einer nackten Frau, die zu schlafen schien und deren Gesicht in der Armbeuge verborgen war.

Klimt nahm ihr das Blatt aus der Hand, faltete es zu einem Papierflieger und ließ es durch das Atelier schweben.

»Unwichtig«, sagte er knapp. »Komm, lass uns herausfinden, was sie zur neuen Allegorie sagen. Auch wenn ich schon ahne, wie es ausgeht.«

Als Klimt und Midi wenig später auf den Naschmarkt einbogen, stießen sie auf erregt debattierende Grüppchen, die zum Sezessionsgebäude strömten, allen voran die Professoren der Universität, die gemessenen Schrittes die Eingangshalle betraten.

Die Ausstellungen der Wiener Sezession waren Ereignisse, die bereits Wochen vorher für Aufregung sorgten, und immer lag ein Skandal in der Luft, vor allem dann, wenn Klimt seine Bilder zeigte. Schon das Ausstellungsgebäude selbst, das ohne öffentliche Unterstützung mit dem Geld privater Mäzene gebaut worden war, galt mit seinen schnörkellosen, klaren Formen als Stein des Anstoßes.

»Auf in den Kampf«, murmelte Klimt, als sie die Stufen hochgingen.

»Der Zeit ihre Kunst – der Kunst ihre Zeit«, stand in großen Lettern über dem Eingang, und jeder, der die künstlerischen Auseinandersetzungen in Wien verfolgte, wusste, dass es sich dabei um ein höchst kämpferisches Motto handelte. Es war eine Kriegserklärung an die Gralshüter von der Kunstakademie, es sagte unmissverständlich, dass hier das Neue, Unerhörte seinen Platz hatte und dass man auf die Tradition pfiff, wenn sie sich der Moderne in den Weg stellte.

Vollends aufgebracht aber war das akademische Lager über die Führungen für einfache Arbeiter, die jeden Sonntagmorgen stattfanden und die so gut wie kostenlos waren. Perlen vor die Säue, das war die einhellige Meinung. Wozu solchen Banausen die Kunst zugänglich machen?

Seit bekannt geworden war, dass Klimt eine weitere seiner umstrittenen Allegorien ausstellen würde, erwartete das kunstinteressierte Wien mit Spannung den Tag, an dem sich ein neuer Triumph oder ein neuer Skandal ereignen würde. Mehr als Mutmaßungen gab es nicht. Trotz des Erfolgs der »Allegorie der Philosophie« bei der Weltausstellung in Paris hatte es seither regelmäßig auflodernde Kontroversen um die Allegorien gegeben. Sie waren zwar im Auftrag des Kulturministeriums angefertigt worden, doch die Flut von Eingaben und Protesten hatte die Anbringung der Gemälde in der Universität bisher verhindert.

Eine Traube von Menschen drängte sich bereits vor der »Allegorie der Medizin«, als Klimt und Midi den Saal betraten.

»Da habt ihr's«, rief der Schriftsteller Herrmann Bahr, der bereits vor dem Gemälde Hof hielt. Er galt weithin als einer der prominentesten Vordenker der Sezessionisten. »In Paris werden solche Bilder als Meisterwerke geschätzt, bei uns aber werden sie niedergemacht. Wir leben hier in einer kulturellen Provinz, absolut rückständig und verstaubt. Sogar in Berlin denken sie an uns nur noch als zuckrige Operettenstadt! Die tun so, als wären wir alle Fröhliche Husaren und Lustige Witwen! Glauben Sie mir, meine Damen und Herren, kaum erwähnt man in Berlin unsere Stadt, so fangen die Leute gleich an, irgendwelche banalen Operettenliedchen zu trällern.«

Die meisten applaudierten ihm, einige lachten, und Bahr ging zum nächsten Grüppchen, um seine Rede noch einmal zu halten. »Wir leben hier in einer kulturellen Provinz ...«

Ein grämlich dreinblickender Beamter stand kopfschüttelnd vor dem Gemälde und brummte: »Mut hat er ja, dieser Klimt, das muss man ihm lassen. Aber sonst ...«

»Man kann nun mal kein Omelette machen, ohne ein Ei zu zerbrechen«, sagte ein anderer Besucher trocken.

Der Beamte sah unwillig auf. »Aber Klimt zerbricht die Eier, ohne dass ein anständiges Omelett dabei herauskommt! Können Sie mir vielleicht erklären, was dieses Menschenknäuel aus lauter schamlos verrenkten Figuren bedeuten soll? Ist nicht die Medizin eine hochstehende und segensreiche Wissenschaft, die eine angemessene Würdigung verdient hätte statt dieser abstoßenden Leiber?«

»Sehen Sie, da unten, das ist Hygieia, die Göttin der Gesundheit«, erklärte der andere Besucher geduldig. »Und der aufsteigende Strom von Menschen symbolisiert das ewige Leiden, das Werden und Vergehen, das die Medizin helfend begleitet.«

»Werden und Vergehen«, äffte der Beamte seinen Kontrahenten nach. »Sehen Sie doch richtig hin: Sogar eine nackte Schwangere hat er gemalt, dieser Barbar, und der Fötus sieht aus, als hätte er ihn aus einer pathologischen Sammlung entwendet. Und dann das Skelett – nein, nein«, schloss er, »so ein Machwerk darf nicht in unserer ehrwürdigen Universität aufgehängt werden, und ich werde alles in meiner Macht Stehende tun, um es zu verhindern!«

Grußlos schritt er davon.

Klimt und Midi hatten dem kleinen Disput unbemerkt zugehört.

»Da hast du's«, raunte Klimt ihr zu. »Die Spießer machen mobil. Mir soll's egal sein. Aber ich werde nicht zulassen, dass die Allegorien in irgendeinem Depot verschimmeln.«

»Und wie willst du das verhindern?«, fragte Midi.

Klimt sah sich um. Überall standen ernst dreinblickende Herren, die sich mit besorgten Gesichtern unterhielten.

»Ich weiß es noch nicht. Aber die da werden nicht gewinnen, niemals.«

»Gustl, du machst mir Angst«, flüsterte Midi.

»Ach was. Bleib du nur hier und sieh dir dieses elende Schauspiel an, ich gehe was trinken.«

Er ließ Midi stehen und schob sich an den Besuchern vorbei in einen Nebenraum, wo er sich an einem Ausschank ein Glas Wein bestellte. Auch ein Buffet war aufgebaut, und einige Besucher klaubten sich schon genüsslich Petits Fours und Kanapees von den silbernen Platten.

Klimt hatte sich gerade etwas abseits an einen Tisch gesetzt, als Herrmann Bahr auf ihn zugelaufen kam.

»Gibt es etwas Neues?«, fragte der Schriftsteller aufgeregt. »Hat sich der Minister schon geäußert? Und was werden Sie den Professoren antworten? Man hört, sie seien wenig begeistert von Ihrer Allegorie.«

Sichtlich entnervt stürzte der Maler sein Glas Wein herunter.

»Ich werde mich nicht streiten mit diesen Spießern, auch wenn sie nur darauf warten. Hier …«, er zog einen Brief aus der Brusttasche, »ich habe eine Erklärung vorbereitet, die ich morgen der ›Wiener Morgenzeitung‹ übergebe. Mehr sage ich nicht, keinen Ton!«

Bahr griff nach dem Brief und überflog ihn eilig. »… ist es mir auch zu dumm, immer und immer wieder gegen dieselben starrköpfigen Leute aufzutreten«, zitierte er halblaut.

Er hob den Kopf. »Klare Worte«, sagte er anerkennend, dann las er weiter. »Für mich entscheidet nicht, wie vielen es gefällt, sondern wem es gefällt. – Holla, da werden ein paar Herren aber bös verstimmt sein«, schmunzelte er.

In diesem Moment kam Midi zu ihnen an den Tisch gelaufen.

»Gustav, Gustav, komm schnell, der Minister ist da!«, rief sie.

Sie nahm seine Hand und zog ihn von dem Schriftsteller fort in den Ausstellungsraum. Soeben war der Kulturminister von Hartel vor das Gemälde getreten, ein etwas vierschrötiger Herr im schwarzen Gehrock, umringt von Beamten und Sekretären, und nahm mit einem Ausdruck größten Unbehagens die »Allegorie der Medizin« in Augenschein. Klimt blieb zunächst in einiger Entfernung stehen, um die Miene seines Auftraggebers zu beobachten, dann trat er schließlich zu ihm.

»Nun, Herr Minister, wie gefällt Ihnen die Ausstellung?«, fragte er.

Von Hartel zögerte. »Wie soll ich sagen …«, er rang nach Worten, im Bewusstsein, dass alle im Raum gespannt auf sein Urteil warteten. »Ich finde das alles etwas – überraschend, das Bild überwältigt den Betrachter, ja, das ist wohl das beste Wort, es überwältigt ihn. Aber lassen Sie uns ein andermal darüber sprechen, ganz in Ruhe, nur wir zwei. Und jetzt entschuldigen Sie mich bitte.«

Er grüßte kurz in die Runde und ging in den nächsten Saal.

Ratlos sah Midi zu Klimt hinüber. »Und? Was bedeutet das?«

»Nichts«, sagte Klimt.

»Nichts?«, wiederholte Midi.

»Der wartet mal wieder ab. Bloß kein Risiko eingehen, bloß kein eigenes Urteil fällen, das ist seine Devise. Komm«, er nahm Midis Hand, »wir trinken noch ein Glas.«

Sie bahnten sich einen Weg durch den Besucherstrom und gingen wieder zum Ausschank, wo sich inzwischen einige Professoren der Kunstakademie versammelt hatten, die sich zur Freude der Umstehenden eine lebhafte Auseinandersetzung lieferten. Klimt bestellte Wein für sich und Midi, dann setzten sich die beiden in eine ruhige Ecke. Aber selbst hier drangen die Stimmen zu ihnen.

»Man mag solche Allegorien schätzen oder nicht – auf jeden Fall entdecke ich doch in dem Werk einen Missbrauch der Form, oder wie sehen Sie das?«, ergriff gerade ein magerer, ältlicher Herr das Wort.

Der Angesprochene überlegte eine Weile und rückte seine Brille gerade. »Ich würde sagen, mehr als um einen Missbrauch handelt es sich doch wohl um schlichte Gegensätze …«

»Zu viel der Ehre für solch ein Machwerk«, mischte sich ein Dritter in die Debatte. »Das ist einfach eine ungeheuerliche Schamlosigkeit, nur dazu gemacht, um zu schockieren. Mehr muss darüber nicht gesagt werden.«

Klimt zwinkerte Midi belustigt zu, sie aber zog ein unglückliches Gesicht.

»Ich gehe wieder zurück in den Saal«, seufzte sie, »und versuche zu retten, was noch zu retten ist. Ach, Gustl, ich verstehe gar nicht, wie du es hier aushalten kannst, wo sie alle über dich herfallen.«

»Wie? Ja, geh nur«, murmelte er und stürzte achtlos nacheinander beide Gläser Wein herunter.

Er war es längst müde, die immer gleichen Streitereien anhören zu müssen, und wollte gerade gehen, als plötzlich der Botschaftsbeamte aus Paris vor ihm stand.

»Ja, servus, der ehrenwerte Botschaftssekretär …«, begrüßte Klimt ihn launig.

»Zweiter Sekretär seit letzter Woche«, korrigierte ihn der Beamte und schlug in gespielter Bescheidenheit die Augen nieder.

»Na, das macht sich doch ganz prächtig mit der Karriere«, höhnte Klimt. »Trinken Sie einen mit mir?«

»Zu meinem größten Bedauern hat es den Anschein, als ob Sie mit Ihrem Bild diesmal nicht alle glücklich gemacht hätten«, raunte der Beamte ihm zu und deutete auf die Professoren, die noch immer in unverminderter Lautstärke diskutierten.

»Stimmt. Die meisten sind völlig außer sich«, bestätigte Klimt.

»Ich für meine Person bin es ganz und gar nicht«, erwiderte

der Sekretär und nestelte an seiner Krawatte. »Aber man muss auch bedenken, dass ich in Paris lebe. Dort wird Ihr Werk als höchst poetisch gelobt, hier jedoch nennt man es dekadent.«

»Wohl wahr. Ich wünschte, ich wäre in Paris geblieben«, seufzte Klimt.

»Mein Freund, nehmen Sie sich in Acht«, flüsterte der Beamte dicht am Ohr des Malers. »In Paris meint man mit dem Wort ›dekadent‹ nur ›unanständig‹. Hier in Wien jedoch bedeutet es ›teuflisch‹.«

Er hielt inne und lauschte auf die Stimme von Bahr, der ein wenig abseits hinter einem Vorhang aufs Neue ein Publikum gefunden hatte, um seine Rede zum Besten zu geben. Und wieder erntete er Lacher und Applaus.

Von seinem Tisch aus konnte Klimt den Saal mit der »Allegorie der Medizin« überblicken. Gerade hatte Midi Minister von Hartel abgefangen und redete beschwörend auf ihn ein. Mit ernsten Gesichtern kamen sie auf den Ausschank zu.

»So verstehen Sie doch, Herr Minister …«, hörte er Midi zu einer Erklärung ansetzen, worauf der Minister sie in väterlichem Ton beschwichtigte.

»Aber ich verstehe Sie doch bestens, werte junge Dame …«, dann waren die beiden wieder im Gedränge verschwunden.

Schon bedauerte Klimt, dass er sich auf ein Gespräch mit dem Sekretär eingelassen hatte und noch länger den Reden der Eiferer ausgesetzt war, die nur auf einen Anlass gewartet zu haben schienen, um sich in Szene zu setzen. Zu allem Überfluss ließen sich nun auch noch einige junge Künstler am Nachbartisch nieder, die sich mit ihrem Wissen und ihren Argumenten zu übertreffen versuchten.

»Das soll rauschhafte Kunst sein?«, fragte ein junger Mann, der seinen Kragen gelockert hatte und ein Cognacglas hochhielt wie die Waage der Justitia. »Diese Allegorie erweist sich doch eher als das Werk eines klaren Geistes! Nein, Klimt hat es verstanden, zwei Extreme miteinander zu verbinden, und das genau ist es, was wir Modernität nennen!«

»Bravo!«, rief ein anderer. »Nur: Ich kann das Ornament nicht vom Ausdruck unterscheiden!«

Sofort entstand ein Stimmengewirr, doch der Wortführer riss die Aufmerksamkeit wieder an sich.

»Jedes Ornament ist selbst schon eine Form des Ausdrucks«, behauptete er und diese neuerliche kühne Verbindung zweier Extreme verwickelte ihn sogleich in eine weitere Diskussion.

Klimt lachte verächtlich in sich hinein. Was hatte er schon zu schaffen mit diesen Herren, die um die Deutung seiner Gemälde wetteiferten? Er wollte malen, nichts als malen, und mit Bedauern dachte er an das Porträt Cléo Leas, das nun verwaist auf der Staffelei im Atelier stand. Ob der Beamte etwas über Cléo Lea wusste? Ob er sie getroffen hatte? Doch gerade als er ihn nach Cléo Lea fragen wollte, war der Sekretär ebenso plötzlich verschwunden, wie er vor ihm gestanden hatte.

Als der Kellner ihm unaufgefordert ein weiteres Glas Wein brachte, prostete er sich daher grimmig selbst zu.

»Auf den Herausforderer der Spießer«, murmelte er. »Sollen sie alle zur Hölle fahren.«

»Ich verstehe, dass Sie verärgert sind, kein Wunder«, raunte der Botschaftssekretär, der wie aus dem Nichts wieder aufgetaucht war. »Aber wenn ein Künstler dermaßen von seinen Kritikern angegriffen wird, sollte er dem Beispiel von Jesus Christus folgen und auch die andere Wange hinhalten. Schauen Sie, ich bin ein alter Fuchs, ich habe eine Menge gesehen. Und ich kann Ihnen versichern, dass dies ein Triumph ist, auch wenn es sich im Moment wie eine Niederlage anfühlen mag.«

Klimt nahm seinen Trost nur am Rande wahr. Ungeduldig hatte er den Ausführungen zugehört, jetzt legte er eine Hand auf den Arm des Beamten.

»Haben Sie Cléo Lea gesehen?«, fragte er tonlos.

»Oh, was für ein abrupter Themenwechsel«, lächelte der Sekretär. »Ja, ich traf sie unlängst, und, nun ja, es ging ihr gut.«

»Hat sie nichts weiter – gesagt?«

Der Beamte überlegte. »Nein, das heißt – doch, sie schien etwas besorgt wegen des Bildes.«

»Ich bin noch nicht dazu gekommen, es fertig zu malen«, bekannte Klimt. »Es ist mehr als ein bloßes Porträt, es ist die Essenz der vielen Cléo Leas, das, was sie alle verbindet, etwas, was schwer zu beschreiben und noch schwerer zu malen ist …«

»… das gewisse Etwas«, unterbrach ihn der Beamte. »Verstehe. In jedem Fall wartet sie darauf, dass Sie ihr ein Lebenszeichen geben. Und sie wird sicherlich einverstanden sein, Sie zu treffen, sobald das Werk vollendet ist.«

Nervös malte Klimt mit dem Finger unsichtbare Blumen auf die Tischdecke.

»Wie gesagt, es ist kein Porträt im – nun, sagen wir – herkömmlichen Sinne«, sagte er stockend, »es ist eher eine Art Allegorie.«

»Oh, das wird aber eine ganz und gar unangenehme Überraschung für Mademoiselle de Mérode Castro sein«, erwiderte der Beamte ungehalten. »Meines Wissens hatte sie andere Vorstellungen von dem Gemälde.«

Klimt versuchte, in seine Augen zu sehen, doch hinter den dicken Brillengläsern waren sie nur undeutlich zu erkennen.

»Und Sie – was halten Sie von meinen Allegorien?«, fragte er.

Der Beamte lachte vergnügt. »Aha. Wieder ein harter Themenwechsel. Nun, ich finde sie sehr poetisch. Aber ich glaube, da kommt jemand, der Ihre Bilder besser zu würdigen weiß.«

Klimt sah zum Ausstellungsraum hinüber und entdeckte Berta Zuckerkandl, die im Laufschritt auf ihn zusegelte und ihn überschwänglich begrüßte.

»Servus, bester Klimt! Endlich habe ich Sie gefunden! Die ganze Zeit schon habe ich Sie gesucht! Warum sind Sie nicht bei Ihren Werken?«

»Es reicht mir, dass die Leute meine Bilder begaffen, ich selbst stehe als Ausstellungsobjekt nicht zur Verfügung. Und?«, fragte er. »Wie finden Sie's?«

»Wie ich es finde? Wunderschön, raffiniert, revolutionär!«

Sie lächelte aufmunternd und verstaute ihr Monokel in der Handtasche. Dann sah sie sich vorsichtig um. »Aber darüber wollte ich nicht mit Ihnen reden. Aus zuverlässigen Quellen habe ich erfahren, dass Sie große Scherereien bekommen werden. Die Professoren – und nicht nur sie – lehnen Ihre Gemälde rundweg ab! Manche sprechen schon von einem Skandal!«

Der Maler nahm einen Schluck Wein. »Dann gibt es wohl zwei Skandale. Ich habe nämlich vor, die Allegorien zu behalten.«

Berta schlug entsetzt die Hand vor den Mund. »Unmöglich, es sind Auftragswerke, Klimt, sie gehören Ihnen nicht mehr. Das wäre ja Diebstahl!«

»Sie haben mir gehört – und sie werden mir auch wieder gehören«, beharrte Klimt trotzig auf seinem Plan.

»Himmel, Sie bringen sich wirklich in ernste Schwierigkeiten«, seufzte Berta Zuckerkandl. »Aber ganz egal, was passiert, Sie können jederzeit mit meiner Unterstützung rechnen. Bis ein andermal …«

Sie winkte einer Bekannten zu, erhob sich und ließ Klimt allein.

»Frau Zuckerkandl ist eine höchst einflussreiche Frau. Gratulation. Das bedeutet, dass die Presse hinter Ihnen steht, und damit sind Sie gerettet«, wisperte der Sekretär.

Zweifelnd sah Klimt ihn an. »Meinen Sie wirklich, das wird reichen?«

»Unsere verehrten Herren von der Akademie haben ein kurzes Gedächtnis«, flüsterte der Beamte. »Schade für jene, gut für Sie. Die werden an allen Fronten gegen Sie kämpfen, verlassen Sie sich drauf. Aber das muss durchaus kein schlechtes Zeichen sein. Die Kunstakademie hasst Sie – Karl Kraus wiederum verachtet Sie, aber auch die Professoren. Diese Spießer werden sich bis an die Zähne bewaffnen – und dann wird Loos auf den Plan treten und zurückschlagen mit der Behauptung, dass eigentlich die Spießer der wahre Skandal seien. Mit ein bisschen Glück geraten Sie, werter Klimt, mitten in einen gotterbärmlichen Unflat. Wie gesagt: Gratulation!«

Er verbeugte sich mit parodistischer Dienstfertigkeit.

»Sagen Sie Cléo Lea, dass ich sie bald treffen möchte«, erwiderte Klimt, ohne auf die Schilderung der anstehenden Kunstdebatten einzugehen.

»Wie? Mein Gott, Sie springen immer von einem Thema zum anderen. Was jedenfalls Cléo Lea betrifft, so glaube ich kaum, dass sie sich zurzeit in Paris aufhält.«

Der Sekretär verbeugte sich ein weiteres Mal und ging.

Wenn Cléo Lea nicht in Paris war, wo war sie dann? Am Ende in Wien? Klimt hatte gehört, dass Graf Wolff Helenia ein Palais in Wien besaß.

Er war blass geworden. »Ein Glas Wasser«, ächzte er.

»Gustl! Führst du Selbstgespräche?«, stellte Midi ihn zur Rede. Sie war unbemerkt an seinen Tisch getreten. »Warum bist du nicht bei deinem Bild? Warum erklärst du nicht deine Allegorie? Du könntest wenigstens etwas guten Willen zeigen und dein Werk erläutern. Der Minister ist sehr verstimmt.«

»Ich auch«, knurrte Klimt. »Sehrrr – verrrstimmt!«

Midi atmete schwer. »Bist du betrunken? So hör doch, von Hartel hat die Seiten gewechselt! Im Moment ist er gegen uns!«

»Na und?«

Kopfschüttelnd setzte sich Midi auf einen Stuhl neben ihn. »Ich kann es kaum ertragen, wie du hier herumsitzt und dich betrinkst. Gustl, hör auf mich, um Gottes willen, du musst deine Sache verteidigen, sonst ist alles verloren!«

»Verteidigen? Den Teufel werde ich tun!«, rief Klimt. »Ich will malen, sonst nichts. Ich suche nach Blumen, nach Farben, die es noch gar nicht gibt, ich suche nach …«

»O Gustl, du machst es nicht gerade einfacher mit deiner Art«, seufzte Midi, dann stützte sie das Gesicht in die Hände und begann zu schluchzen.

Der Maler betrachtete sie eine Weile, als sei sie eine entfernte Verwandte, an die er sich kaum noch erinnerte, dann zog er ein Taschentuch hervor und tupfte ihr sanft die Tränen von den Wangen.

IGNORANTEN, SPIESSER, DUMMKÖPFE«, wütete Klimt vor sich hin und drohte einem Laternenpfahl.

Seit Stunden zog er durch zwielichtige Kneipen und billige Absteigen und trank alles, was man ihm einschenkte, Wein, Cognac, Absinth. Auf unsicheren Füßen stolperte er vorwärts, durch enge, schmutzige Gassen und trostlose Hinterhöfe. Er war in eine finstere Gegend geraten, es stank nach Abfall und Urin, und er irrte mittlerweile orientierungslos umher. Immer wieder sprachen ihn Frauen an, grell geschminkte Prostituierte, die trotz der winterlichen Kälte tief dekolletiert in den Hauseingängen auf Kundschaft warteten. Schwer hängten sie sich an ihn und versuchten, ihn mit sich zu ziehen, doch jedes Mal stieß er sie von sich und lief weiter, bedrängt von Schatten, getrieben von Stimmen, die ihn hartnäckig verfolgten.

»Rauschhaft … nein, das Werk eines klaren Geistes … eine einzige Schamlosigkeit … Holla! Vorsicht!«

Erst im letzten Moment hatte er den Betrunkenen bemerkt, der aus dem Dunkel eines Hinterhofs auf ihn zugetaumelt kam, ein Mann von massiger Gestalt mit einem Zylinder auf dem Kopf. Der sichtlich angeschlagene Herr strauchelte, fiel fast auf Klimt und wurde von ihm geistesgegenwärtig aufgefangen.

»So passen Sie doch auf«, rief Klimt, »Sie reißen mich ja um!«

Während er sich noch nach Kräften abmühte, den Herrn wieder aufzurichten, stürzten sich plötzlich ein paar dunkle

Gestalten wie ein Überfallkommando auf ihn. Alles ging so schnell, dass er sich kaum wehren konnte. Sie traten ihm in die Kniekehlen und warfen ihn zu Boden, dann hakten sie den schwankenden Mann unter und versuchten, ihn mit sich zu zerren.

»Loslassen, sofort loslassen«, schrie Klimt, der sich mühsam aufrichtete, »sonst rufe ich die Polizei!«

»Aber wir sind Polizisten«, keuchte einer der Männer. »Polizisten in Zivil!«

Sie nahmen den Betrunkenen in die Mitte und drehten sein Gesicht in den Schein der trüben Straßenlaterne. Jetzt erkannte Klimt ihn – es war der Kulturminister.

»Von Hartel, Sie?«, rief der Maler fassungslos aus.

»D-danke, tausend D-dank, lieber Klimt«, stammelte der Minister und hob pathetisch die Arme. »Der Sport rettet Österreich!«

Betreten standen die Angreifer da. »Entschuldigen Sie, Herr Minister, wir waren nur besorgt, das ist eine schlechte Gegend hier …«

Einer bückte sich und hob den Zylinder auf, der während des Handgemenges davongerollt war, und reichte ihn von Hartel in unterwürfiger Haltung.

Der strich sich ächzend das Jackett glatt. »Jaja, ich weiß, aber immerhin läuft man hier nicht so finsteren Kerlen wie Loos über den Weg.«

Er rückte seinen Zylinder gerade, dann umarmte er den Maler überschwänglich.

»Klllimt«, lallte er, »Sie sind wirklich der Einzige, der Grund hat, sich zu beschweren! Alle diese Kritiker …«

Er machte eine fahrige Geste, dann schwankte er aufs Neue und hielt sich an seinem Retter fest.

»Sollen wir Sie nach Hause begleiten?«, fragte einer der Polizisten. »Wir können Sie unmöglich allein weitergehen lassen.«

»Auf keinen Fall«, protestierte der Minister. »Ich gehe mit meinem Freund Klimt.«

Er legte demonstrativ einen Arm um die Schultern des Malers. »Gute Nacht, die Herren.«

»Wie Sie wünschen, Herr Minister.«

Die Polizisten grüßten zackig, dann trollten sie sich.

»Elende Dummköpfe!«, rief von Hartel ihnen hinterher. »Aber Sie, bester Klimt, Sie haben sich wacker für mich geschlagen. Und ich?«

Er schlug sich mit der geballten Faust auf die Brust. »Warum habe ich mich heute nicht für Sie geschlagen?«

Der Maler rieb sich die Kniekehlen, die immer noch schmerzten.

»Lassen Sie es gut sein, alter Freund. Was ist, wollen wir noch ein Glas trinken? Wenn mich nicht alles täuscht ...«, er sah sich blinzelnd um, »dann ist ganz in der Nähe etwas Passendes, kommen Sie mit, es sind nur ein paar Schritte.«

Der Minister nickte, dann stützte er sich wieder auf Klimt, und gemeinsam stolperten sie über das Kopfsteinpflaster, vorbei an Schenken und Bars, aus denen Lärm und Geschrei nach draußen drang, vorbei an rohen Bretterzäunen mit halb abgerissenen Plakaten, bis sie an ein niedriges, heruntergekommenes Haus gelangten, in dessen Fenstern rote Laternen hingen.

»Hereinspaziert«, sagte Klimt. »Die Damen warten schon.«

Sie betraten einen überheizten Vorraum, der erfüllt war vom Geruch nach Parfum und Schweiß. Rote Plüschsofas standen herum, süßliche Gemälde zeigten lasziv hingestreckte, kaum verhüllte Frauen, und von ferne hörte man Stimmen und Gelächter. Ein nacktes junges Mädchen huschte kichernd an ihnen vorbei und verschwand hinter einer Tür aus Milchglas.

»Sieht vielversprechend aus«, grinste der Minister.

In diesem Moment wurde ein Vorhang aus billigen Perlenschnüren klirrend beiseite geschoben und eine korpulente Matrone mit stark gepudertem Gesicht erschien. Große goldene Kreolen hingen in ihren fleischigen Ohrläppchen. Unter ihrer verschlissenen Bluse zeichneten sich große Brüste ab, ihr Haar war rot gefärbt und mit der Brennschere in Wellen gelegt.

»Ja, wen haben wir denn da?«, gurrte sie erfreut. »Der Herr Hofmaler gibt sich die Ehre. Einen schönen guten Abend!«

Sie begrüßte Klimt vertraulich, dann wandte sie sich ihrem anderen Gast zu und machte einen tiefen Knicks, als sie den Minister erkannte.

»Eure Exzellenz! Welche Ehre«, japste sie.

»Wir sahen noch Licht, und da dachten wir, dass wir Ihnen unsere Aufwartung machen sollten«, erklärte der Minister, der seine Contenance mittlerweile wiedergefunden hatte, auch wenn es ihn einige Anstrengung kostete, sich auf den Beinen zu halten.

»Was für eine ausgezeichnete Idee«, gluckste die Madame und entblößte eine Reihe von Goldzähnen zwischen ihren blutrot geschminkten Lippen. »Habe die Ehre, Herr Minister, habe die Ehre, Herr Klimt. Wie schön, dass Sie unser Etablissement nach so langer Zeit wieder einmal mit Ihrem Besuch beehren.«

Sie ging zu einem wackeligen Pult, wo auf einer Häkeldecke das Bestellbuch lag, ein großformatiges Heft mit speckigem Ledereinband. Sie feuchtete Daumen und Zeigefinger an und blätterte darin.

»Haben die Herren reserviert?«

»Leider nein«, antwortete Klimt. »Es war eine spontane Eingebung, hierher zu kommen.«

Noch einmal blätterte die Madame in ihrem Buch, dann klappte sie es seufzend wieder zu. Ihre Ohrgehänge klimperten leise.

»Ich bin sicher, dass wir etwas Passendes für Sie finden«, versprach sie. »Auch wenn mein Etablissement heute Nacht äußerst gut besucht ist. Herr Adler und seine Freunde sind in dem Salon, den Sie vorzugsweise aufsuchen, Herr Klimt, und auch der russische und der thailändische Salon sind schon besetzt.«

»Was ist mit dem persischen?«, fragte Klimt.

»Verzeihung, den haben die Italiener heute Abend gebucht. Aber wie wär's mit dem Cowboy-Salon?«

»Auf keinen Fall«, protestierte der Maler und sah zu von Hartel, der in einen Sessel gesunken war. »Der ist nicht empfehlenswert.«

»Bleibt nur der afrikanische Salon«, seufzte die Bordellchefin.

Sie setzte sich zu dem Minister aufs Sofa und sah ihn erwartungsvoll an.

»Einverstanden«, sagte von Hartel und leckte sich unwillkürlich die Lippen. »Dann machen wir es eben auf afrikanisch.«

»Ja – kennen Sie denn auch die Regeln für diesen speziellen Salon?«, fragte die Madame zweifelnd.

Der Minister setzte seinen Zylinder ab und blitzte die Madame unternehmungslustig an. »Die Regeln. O ja, sicher. Ich liebe diese Regeln.«

Wieder gluckste sie in sich hinein, diesmal einigermaßen erstaunt. Dann stand sie auf, nahm einen Schluck Cognac aus dem Glas, das neben dem Bestellbuch stand, und prostete dem Maler zu.

»Auf Ihr Wohl, Herr Klimt, es ist mir ein Vergnügen, Ihnen den afrikanischen Salon anzubieten – und ich dachte immer, dass Sie diese Schande ablehnen.«

»Ich will nur noch einen kleinen Absacker«, winkte Klimt müde ab. »Ein letztes Glas, zusammen mit meinem Freund.«

»Oh, bitte sehr, stets zu Diensten.«

Sie trank ihr Glas aus, unterdrückte ein Rülpsen und führte die beiden Kumpanen vorbei an schummrigen Séparées zu einem ganz in Dunkelbraun gehaltenen Salon mit rosa Lämpchen, in dessen Mitte ein runder Käfig mit massiven Metallstäben stand. In seinem Innern waren weiche Samtpolster ausgebreitet und auf einem niedrigen Tischchen standen Flaschen und Gläser.

»Hmm, ich kann es kaum erwarten«, flüsterte der Minister. »Sehen Sie doch, wir haben reiche Auswahl, so viel frisches Fleisch …«

Er zeigte auf etwa ein Dutzend halbnackter Frauen, die rund um den Käfig auf Sofas und Sesseln lagerten, die meisten nur in Strümpfen und Unterröcken. Ihre nackte, blasse Haut leuchtete fahl im Licht der rosa Lampenschirme. Manche strickten, einige dösten schläfrig vor sich hin, andere blätterten gelangweilt in Modemagazinen. Ein schwerer Duft von Parfum und Puder lag in der Luft.

Als sie die beiden Herren sahen, legten sie sofort ihr Strickzeug und ihre Magazine beiseite und umringten die Neuankömmlinge mit den trägen Bewegungen von Katzen.

»Kannibalen«, flüsterte Klimt, der sich am Gitter festhielt, »sie sind hier, Obacht vor den Kannibalen!«

»Wie bitte?«, fragte von Hartel.

»Berühren streng verboten«, raunte Klimt ihm zu.

Der Minister stieß ihn mit dem Ellenbogen an.

»Sie sprechen in Rätseln, so wie immer«, beschwerte er sich. »Ach, Klimt, warum mussten Sie bloß diese absurde Allegorie malen? Sie haben die beiden Grundprinzipien der Medizin außer Acht gelassen – vorbeugen und heilen …«

»Bitte, die Herren«, unterbrach ihn ein junger Mann.

Man hatte ihn als Mozart verkleidet, mit einem Gehrock aus Brokat und einer gepuderten weißen Perücke, die im Nacken zu einem Zopf gebunden war. Sein Blick war wirr und sein rechtes Auge zuckte. Mit ernster Miene reichte er ihnen Affenmasken.

»Vorbeugen, heilen …« Klimt lachte bitter auf. »Was soll ich denn schon tun? Wissen Sie, ich bin in derselben unglücklichen Lage wie unser alter Kaiser. Auch er wird den Krieg nicht verhindern können, von dem alle sprechen. Gegen den Krieg gibt es kein Heilmittel.«

Der Minister setzte umständlich seine Affenmaske auf.

»Ah, das hört sich nach einem Zitat an«, erklang es dumpf unter der Maske. »Sie lesen also diesen Kraus. Aber wenn er auch brillant formuliert – er hat kein Recht, den Kaiser anzugreifen. Immerhin ist Österreich das einzige Land Europas, das die Künstler fördert!«

Der Pianist setzte sich an ein altersschwaches Klavier in der Ecke, ein verschrammtes Exemplar mit Kerzenleuchtern, von denen das Wachs auf die Tasten tropfte. Mit einem Finger intonierte er einen Walzer und sang dazu mit dünner Falsettstimme:

»Soldaten aus Schokolade sind wir,/ geschaffen sind wir zum Feiern hier,/ deinen Geburtstag, liebe Hoheit,/ und dann verspeist zu werden bereit./

Sie werden uns lecken, wir werden's genießen,/ auf gar nichts sollen sie heute verzichten./ Lieber Prinz, sei uns gepriesen,/ für dich lassen wir uns sogar vernichten.«

Die beiden Gäste applaudierten belustigt, worauf der Pianist einen Schubertländler zum Besten gab, den Klimt leise mitsummte, auch wenn die Musik wie eine Persiflage klang, so verstimmt war das Klavier, und so übertrieben schnell spielte der irrwitzige Mozartdarsteller.

»Schubert! Kultur!«, schwärmte der Minister mit naiver Freude, »sehen Sie, das ist Wien, die Stadt der Künste! Selbst hier, an diesem Ort der Sünde, ist die Kunst zu Hause!«

Auch Klimt setzte nun seine Affenmaske auf. Gemeinsam

stiegen sie in den Käfig und schlossen die Tür. Einen kurzen Moment lang standen sie da und betrachteten einander, dann brachen sie in hysterisches Gelächter aus.

»Was sind wir für possierliche Affen«, keuchte der Minister. »Uhuuu!«

»Wir sind Ausstellungsstücke in Sicherheitsverwahrung«, rief Klimt, »Vorsicht vor den Kannibalen!«

Dann wurden sie still und sahen sich nach den Frauen um, die um den Käfig kreisten und sich ihnen darboten. Manche pressten ihre Brüste an die Gitterstäbe, andere präsentierten einladend ihre Hinterteile. Doch immer, wenn einer der Herren nach ihnen greifen wollte, entzogen sie sich kichernd, und wenn sie eine gierig ausgestreckte Hand erwischten, machten sie sich einen Spaß daraus, ihr einen Klaps zu geben.

Klimt schob die Maske hoch und goss sich einen Schluck Cognac ein.

»Auf die Wilden«, brachte er einen Toast aus, »auf die Kannibalen!«

Von Hartel war vor einem rothaarigen Mädchen stehen geblieben, das nicht älter als sechzehn sein mochte, und versuchte beharrlich, durch die Gitterstäbe hindurch ihre kleinen Brüste zu berühren.

»Ich glaube, ich nehme die Kleine«, stöhnte er unter seiner Maske. »Sie sieht so unschuldig aus. Und Sie? Haben Sie sich schon etwas Schönes ausgesucht?«

Klimt antwortete nicht. Er trank hastig seinen Cognac und schien mit den Gedanken woanders zu sein.

»Paris«, flüsterte er vor sich hin. »Patagonien …«

Von Hartel wandte sich wieder dem jungen Mädchen zu.

»Na los doch, Süße, komm zu uns«, forderte er sie auf. »Wir beißen nicht. Jedenfalls nicht allzu sehr.«

Das Mädchen warf ihm eine Kusshand zu, dann öffnete sie den Käfig und stieg hinein. Sofort umarmte von Hartel sie unbeholfen, verlor das Gleichgewicht und sank mit ihr auf ein Polster. Auch die anderen Frauen kamen jetzt eine nach der anderen in den Käfig und ließen sich auf den Polstern nieder.

»Allegorien, es sind alles Allegorien«, lallte Klimt und trank. »Die nächste Allegorie male ich hier, eine Allegorie des Stumpfsinns und der Lüsternheit, die wird Ihnen gefallen, Herr Minister ...«

»Auf jeden Fall sollten Sie solche Dinge immer zuerst mit mir besprechen«, erwiderte der Politiker, der schwer atmend die Schenkel des Mädchens streichelte.

»Selbstverständlich werde ich das tun«, versicherte Klimt. »Kein Pinselstrich mehr ohne eingehende ministerielle Abstimmung.«

Er machte ein paar übertrieben tiefe Bücklinge und tanzte mit hängenden Armen durch den Käfig.

»Meine Damen und Herren«, schrie er, »sehen Sie sich den persönlichen Affen des Kulturministers an! Noch ist er etwas wild, aber bald schon wird er ein possierlich gezähmtes Haustier sein, mit einem goldenen Ring in der Nase!«

»Ich meine es ernst!« Der Minister richtete sich halb auf. »Die ganzen Scherereien haben Sie nur, weil Sie sich mir nicht anvertrauen! Klimt? Hören Sie mich?«

Der Maler hatte seinen Tanz beendet und ließ seine Hände langsam und konzentriert über den halb entblößten Körper einer dunkelhaarigen Frau gleiten, so, als wollte er ihre Formen ertasten, um sie später zeichnen zu können.

»Klimt? Sind Sie taub?«, versuchte es der Minister noch einmal.

Aber der Maler war ganz in die Erforschung seines Objekts versunken, mit geschlossenen Augen zeichnete er die Linie der Brüste, der Hüften, der Schenkel nach, ohne darauf zu achten, dass die Frau sein Jackett aufknöpfte. Sie legte einen

Arm um seine Schultern und zog ihn auf das Polster, wo sie sich rittlings auf ihn setzte und die letzten Knöpfe seines Jacketts öffnete.

»Idiot«, grummelte von Hartel. »Unverbesserlicher Idiot.«

Dann streichelte er wieder die Schenkel seines Mädchens, dessen Wangen fiebrig gerötet waren, woraufhin es wohlig seufzte. Er schob ihren Unterrock höher.

»Ach, Allegorien, was bedeutet das schon«, stieß er hervor, »sehen Sie sich lieber diese unglaubliche Nacktheit an! Klimt! Hören Sie zu!«

»Die Geschichte der Kunst ist letztlich eine Geschichte der Nacktheit«, erwiderte Klimt obenhin, während er sich willig weiter ausziehen ließ. Schon hatte die junge Frau sein Hemd geöffnet und war gerade damit beschäftigt, seinen Gürtel zu lösen.

Wieder richtete sich von Hartel auf. Er nahm die Maske ab und darunter erschien sein aufgequollenes, schweißnasses Gesicht. Wütend sah er den Maler an.

»Aber dennoch muss es Regeln geben«, erklärte er. »Man sollte wissen, was man zeigen kann und was nicht. Mussten Sie wirklich jede einzelne Regel brechen? Mussten Sie Hygieia als eine Ihrer unseligen Femmes fatales darstellen? Und dann dreht sie noch den gequälten Menschen den Rücken zu – einfach abscheulich!«

Auch Klimt nahm seine Maske ab und schleuderte sie von sich. »Haben Sie denn nicht die Schlange erkannt, das Sinnbild der Medizin, das Symbol für den ewigen Zyklus von Leben und Tod?«

»Die Schlange?« Der Minister kratzte sich nachdenklich am Kopf. »Ja, richtig. Darauf bin ich gar nicht gekommen. Warum haben Sie das denn nicht gleich gesagt?«

»Das sieht man doch«, antwortete Klimt lapidar. »Ich habe sie schließlich gemalt.«

Verblüfft ließ der Minister das Mädchen los. »Sie haben nichts erklärt, Sie haben einfach nur dagestanden.«

»Ich bin ein Maler und kein verdammter Kritiker!«, brach es roh aus Klimt heraus.

Der Pianist wechselte die Tonart und spielte nun einen wüsten Marsch. Grob hieb er auf die Tasten ein, während er das Geschehen im Käfig beobachtete.

»Aber wir hätten darüber reden können«, warf der Minister ein. »Vielleicht hätten wir sogar die Herren von der Akademie überzeugt.«

Die dunkelhaarige Frau ließ ihre Fingerspitzen über Klimts nackte Brust fahren, doch der sah angriffslustig zu von Hartel hinüber.

»Die Akademie«, stieß er unwillig hervor, »diese Spießer, diese Ignoranten, die werden niemals …«

Der Minister schnitt ihm ungeduldig das Wort ab. »Sie hätten das von Mann zu Mann mit mir besprechen können, stattdessen haben Sie alles auf eine Karte gesetzt – und wofür? Für Ihre Geldgeber, für diese elenden Geschäftemacher! Verdammt, Klimt, Sie sind auch nicht besser als diese Huren hier, ja genau, Sie sind nichts weiter als eine Hure!«

»Wer? Ich?«

Klimt schob die junge Frau von seinem Schoß und starrte von Hartel fassungslos an.

»Ja, Sie!«, bekräftigte der Minister. »Und Sie sind nicht der Einzige. Alle verkaufen sich heutzutage. Ganz Wien ist ein einziges Bordell! Selbst dieser verrückte Seelendoktor Sigmund Freud hat sich einen reichen Gönner gesucht, eine Gönnerin, genauer gesagt.«

Er wandte sich von Klimt ab, zog das Gesicht des Mädchens zu sich und herrschte es an: »Küss mich!«

Völlig entgeistert sah Klimt ihm zu. »Komisch, ich dachte, Sie seien, Sie …«

»Da haben Sie falsch gedacht.«

Unbemerkt von den beiden Herren hatte die Madame den afrikanischen Salon betreten und schaute ihnen eine Weile wohlgefällig durch das Gitter hindurch zu. An ihrer Hand führte sie ein halbwüchsiges Mädchen, das aussah wie einem Pensionat entsprungen, mit seinem weißen Kragen über dem braven Matrosenkleidchen und den braunen Zöpfen mit rosa Schleifen.

Der dick beringte Zeigefinger der Madame deutete auf den Maler. Das Mädchen sah sie fragend an, worauf die Madame nickte.

»Das da«, wisperte sie, »das ist er.«

Sie tätschelte dem Mädchen die Wange.

»Wollen Sie nicht Ihrer Tochter guten Abend sagen, Herr Klimt?«, rief sie dann laut.

Ohne eine Antwort abzuwarten, öffnete sie die Tür des Käfigs und schob das Mädchen hinein. Unschlüssig blieb es vor dem Maler stehen, der sich gerade seiner Hose entledigte.

»Herr Klimt?«, hauchte es.

Er drehte sich um und starrte das Mädchen an. Ohne Scheu hockte es sich neben ihn und küsste ihn auf den Mund.

»Guten Abend«, sagte es artig. »Ich bin eine große Bewunderin Ihrer Kunst!«

»Was für ein – nun, unerwartetes Vergnügen«, erwiderte Klimt, sichtlich unangenehm berührt.

Schnell zog er seine Hose hoch. »Und? Was macht die Schule?«

Das Mädchen hob die Augenbrauen und sah irritiert zur Madame. »Schule?«, wiederholte sie dann. »Ich gehe nicht zur Schule.«

Die Bordellchefin räusperte sich. »Aber Herr Klimt, was soll die Kleine denn in der Schule? Hier bei uns lernt sie doch alles, was sie wissen muss.«

Gebannt verfolgte der Minister die absurde Begegnung. Immer wieder wanderte sein Blick zwischen Klimt und dem Mädchen hin und her.

»Sie ist Ihnen wie aus dem Gesicht geschnitten, Klimt«, bemerkte er schließlich. »Kompliment für Ihre hübsche Tochter!«

Ein Stimmengewirr ließ sie aufhorchen. Die Türen flogen auf und fremde Kunden drängten plötzlich in den Raum, Männer, die ihre Vergnügungen bereits hinter sich hatten und sich im Gehen nachlässig die Hemden in die Hosen stopften. Neugierig beäugten sie die beiden Herren im Käfig.

»Seht mal, das ist doch der Klimt!«, rief einer von ihnen aus. »Mit dem Kulturminister! Ausgerechnet! Das ist aber ein herziges Stelldichein.«

Schnell griff von Hartel zu seiner Maske und setzte sie wieder auf. Die Zuschauer bemerkten seine Verlegenheit und klopften sich vor Lachen auf die Schenkel.

»Nieder mit dem Kaiser!«, schrien sie plötzlich durcheinander.

»Es lebe die Republik!«

»Lang leben die Huren!«, krähte von Hartel dazwischen. »Los, Klimt, kümmern Sie sich nicht um diese armen Irren, jetzt heißt es: Rein ins Vergnügen! Bleiben Sie bei Ihrer Wahl? Ich jedenfalls nehme Ihre Tochter – wenn sie denn wirklich Ihre Tochter ist.«

Klimt sah dem Mädchen forschend in das runde, blasse Gesicht mit den hellen Sommersprossen. Dann berührte er sanft ihre Zöpfe.

»Das sagt jedenfalls die Madame«, antwortete er. »Und nun, mein Kind, kannst du gehen. Der Minister wartet schon.«

Er lehnte sich zurück und zog die dunkelhaarige Frau auf seinen Schoß, die sich sogleich wieder an die Arbeit machte. Stöhnend löste Klimt die Bänder ihres Mieders.

»Dich nehme ich«, beschloss er, »und die zwei da.«

Er zeigte auf zwei andere dunkelhaarige Frauen, die neben ihnen auf den Polstern lagen.

Von Hartel lachte, während er das Kind auf den Arm nahm. »He, Klimt, Sie Schwerenöter. Gleich drei auf einen Streich? Sieht ganz so aus, als rührten Sie heute Nacht eine hübsche Allegorie zusammen!«

Klimt nickte ihm zu, dann ließ er sich von den Frauen in ein Séparée führen, in dem ein großes rundes Bett stand. Sogleich machten sie sich an ihm zu schaffen, doch er schob sie von sich und zog ein schmales Heft hervor.

»Ich möchte, dass ihr euch küsst, dass ihr euch berührt, ganz ohne Hemmungen«, befahl er. »Lasst euch gehen, streichelt euch, ich will nur zusehen.«

»Aber, Herr Klimt«, wollten die Frauen protestieren, doch er fiel ihnen erregt ins Wort.

»Tut schon, was ich sage. Zieht euch ganz aus!«

Folgsam legten sie Unterröcke und Strümpfe ab und schmiegten sich kichernd aneinander. Schon bald waren ihre Körper ineinander verschlungen, wie drei Seeschlangen, die einander umspielten, und Klimt feuerte sie unablässig an, noch inniger miteinander zu verschmelzen, Haut an Haut, Mund an Mund.

»Wenn das die Madame wüsste«, stöhnte eine der Frauen.

Klimt nahm einen Stift und begann zu zeichnen. »Ah, es gibt Frauen, bei denen ist der Hintern schöner und intelligenter als das Gesicht bei vielen anderen. Nur zu, ich will totale Entfesselung, ozeanische Wollust …«

»Schade ist es trotzdem, dass Sie nur zusehen«, gluckste eines der Mädchen. »Sie haben doch gar nichts davon.«

»Der Genießende und der Schaffende sind eins«, erklärte Klimt leise und lächelte, während er immer neue Seiten seines Skizzenbuchs mit leicht hingeworfenen Zeichnungen bedeckte. »Sogar dieser Loos hat gefordert, dass alle Kunst erotisch sei, warum also sollte ich nicht hier im Bordell zeichnen? Ihr seid so hübsch, ihr braucht keine Feigenblätter! Sollen sie mich ruhig pervers nennen, es ist mir egal. Ich bin gegen solche Angriffe überhaupt sehr unempfindlich. Diese ganze Wohlanständigkeit ist doch eine einzige widerliche Heuchelei!«

»Aber ein bisschen unanständig ist es schon, wenn Sie uns so mit gespreizten Beinen malen …«, kicherte das Mädchen.

Klimt hatte sich auf den Bauch gelegt und studierte mit der Neugier eines Anatomen ihre Scham. »Kein Gebiet des menschlichen Lebens ist zu unbedeutend oder gering, um künstlerischen Bestrebungen Raum zu bieten«, sagte er wie zu sich selbst.

Die Prostituierte hatte ihm stirnrunzelnd zugehört. Dann fragte sie: »Gibt es denn überhaupt etwas, was Sie nicht malen würden?«

Er legte sein Skizzenheft beiseite.

»Ja, es gibt etwas«, antwortete er, während seine Hand über ihren Rücken glitt. »Ich würde niemals ein Selbstporträt malen. An mir ist weiter nichts Besonderes. Als Person bin ich nicht interessant. Ich bin nur ein Maler, der Tag um Tag, vom Morgen bis zum Abend malt.«

»Zum Glück gibt es noch die Nacht«, flüsterte das Mädchen, als er sich schließlich zu ihr legte.

NOCH EINE SEMMEL, GUSTL?«

»Danke, Mutter«, sagte Klimt und zwinkerte seiner Schwester Hermine zu. »Die Frau Mama meint es gut mit uns, nicht wahr?«

Obwohl er erst um acht Uhr morgens ins Atelier gekommen war, schwer betrunken und geschwächt von einer ausschweifenden Nacht, an deren Ende er sich nicht mehr genau erinnern konnte, war er pünktlich zum Mittagessen erschienen.

Tagein, tagaus aß er mittags und abends mit seiner Familie, bei der er immer noch wohnte, auch wenn er oft anderswo übernachtete, in seinem Atelier, bei seinen Geliebten oder im Bordell. Sobald er als Maler so viel Geld verdient hatte, dass er eine größere Wohnung bezahlen konnte, hatte er Mutter und Schwester aus der Vorstadt zu sich geholt.

»Du meinst es ja auch gut mit uns«, erwiderte Hermine schmallippig, »sonst wären wir nicht hier.«

Mit ausladender Geste deutete sie um sich auf das Zimmer, dann beugte sie sich wieder über ihren Teller. Hermine war seine jüngere unverheiratete Schwester, eine magere, blasse Person mit einem bitteren Zug um den farblosen Mund, die mit unverhohlenem Neid die Karriere ihres Bruders verfolgte.

Klimt selbst hatte für sich und die beiden Frauen diese Wohnung ausgesucht; sie war klein und bescheiden, mit verschlissenen Tapeten und abgeschabten Möbeln, aber sie machte ihn stets beklommen, so still und leblos war es darin. Meist hörte man nur das Pendel der Wanduhr, die mit ihrem monotonen Ticken die Zeit zu vernichten schien.

Befangen betrachtete er die freudlosen Gesichter seiner Mutter und seiner Schwester. Nie sah er sie anders als in schwarzen, hochgeschlossenen Kleidern mit winzigen Spitzenkragen. Obwohl sein Vater schon seit einigen Jahren tot war, hatten sie offenbar beschlossen, auf ewig Trauer zu tragen. Doch er wusste, dass es im Grunde die Trauer um ihr eigenes, als nutzlos und verfehlt empfundenes Leben war.

»Schmeckt es dir?«, fragte Hermine. »Du bist ja schließlich Besseres gewohnt ...«

Es waren immer die gleichen Gerichte, die sie ihm vorsetzten, einfache Hausmannskost, die er aus seiner Kindheit kannte, meist zur Unkenntlichkeit verkochte Kohleintöpfe mit trockenen Semmeln.

»Großartig«, antwortete Klimt.

Manchmal hatte er den Eindruck, dass die beiden Frauen ihm seinen Erfolg zum Vorwurf machten, obwohl sie selbst reichlich davon profitierten.

Immer fühlte er sich schuldig, wenn er an ihrem kargen Tisch saß, wo ihn alles an seine ärmliche Herkunft erinnerte, an eine Welt dumpfer Beschränktheit, aus der er sich nur mühsam hatte lösen können. Dennoch hatte er nie die Kraft gehabt, eine eigene Wohnung zu nehmen, auch wenn er es sich längst hätte leisten können.

»Ja, wir haben's dem Gustl zu verdanken«, sagte seine Mutter ausdruckslos. »Alles. Die Wohnung. Das tägliche Brot. Alles.«

Hermine griff zum Brotkorb. »Der brave Gustl. Weißt du noch, früher, als wir klein waren, da gab es selbst zu Weihnachten nicht das kleinste Brotkrümelchen, geschweige denn Geschenke.«

Klimt stöhnte auf. »Lass gut sein, Hermine, immer die alten Geschichten …«

»Opernsängerin wollte ich werden«, meldete sich seine Mutter übergangslos zu Wort. »Alle waren begeistert von meiner Stimme, auch der Herr Pfarrer hat's gesagt, ganz vorn durfte ich immer stehen im Kirchenchor, aber dann …«

»… aber dann kam der Herr Papa«, ergänzte Hermine leiernd die offenbar sattsam bekannte Geschichte, »verzapfte dir sieben Kinder und aus war's mit der Karriere.«

Unwillig schob Klimt seinen Teller von sich. »Bitte, so hört doch schon auf. Hundertmal habt ihr das schon erzählt.«

»Wenn du nicht so viele kleine Bastarde in die Welt setzen würdest, könnte ein bisschen mehr für uns übrig bleiben«, erwiderte Hermine kalt. »Habe ich Recht, Mutter?«

Klimt hob die Augenbrauen. Für Hermine war er nur ein zweifelhafter Künstler mit losem Lebenswandel, und sie tat alles, um ihn mit ihren spitzen Bemerkungen aus der Reserve zu locken.

»Sag mal, wie viele Kinder hast du eigentlich mittlerweile?«, fragte Klimts Mutter. »Fünf? Sechs?«

Klimt trank einen Schluck Wasser und verdrehte die Augen. Es war eine fruchtlose Diskussion, die er zu oft geführt hatte, um noch irgendetwas dazu beitragen zu wollen, deshalb antwortete er nicht auf die Frage.

»Ach, bestimmt noch viel mehr, Mutter«, ereiferte sich Hermine. »Wie ich ihn kenne, verheimlicht er uns noch ein paar.«

Sie stand auf und goss aus einer Karaffe frisches Wasser in die Gläser. Schadenfroh lächelte sie ihren Bruder an.

»Und alle sind sie von verschiedenen Frauen«, seufzte Frau Klimt. »Was für ein Abgrund der Liederlichkeit. Man muss sich ja nur dein Atelier anschauen, um Bescheid zu wissen. Überall die nackerten Mädchen, eine Schande ist das, so herumzuhuren, manchmal frage ich mich wirklich …«

»Mama, reichst du mir bitte eine Semmel?«, unterbrach Klimt ihren Redestrom.

Wortlos hielt sie ihm den Brotkorb hin. Das Schweigen am Tisch wurde zusehends feindselig, auch wenn Klimt sich Mühe gab, unbeteiligt zu wirken. Seine Schwester aber sah nicht so aus, als ob sie kampflos das Thema aufgeben wollte. Genüsslich lehnte sie sich zurück und verschränkte die Arme.

»Ist es eigentlich ein Zufall, dass die Mütter alle – jüdisch sind?«, fragte sie betont langsam.

»Jüdisch?«, wiederholte ihre Mutter entsetzt.

»Vielleicht«, wich Klimt aus. »Mir ist es egal.«

»Oh«, Hermine hob entschuldigend die Hände, »das habe ich mir nicht etwa ausgedacht, man kann es ja sogar schon in der Zeitung lesen.«

»Stimmt, du brauchtest dir solche Gerüchte wirklich nicht selbst auszudenken. Das erledigt netterweise schon die Presse für dich«, versetzte der Maler trocken.

Frau Klimt sah ihren Sohn streng an.

»Also, wie viele?«, beharrte sie auf ihrer anfänglichen Frage. »Sechs? Acht? Oder zehn?«

»Man kann sie gar nicht alle zählen, stimmt's, Gustav?«, sagte Hermine.

Statt einer Antwort biss er in die Semmel. Die Wanduhr tickte, irgendwo bellte ein Hund. Die Zeit stand still in dieser Wohnung, alle Gedanken kreisten nur immer wieder um dieselben Themen, die Armut, das ungelebte Leben der Mutter und um Klimts nach außen hin so glänzenden, aber leider unbürgerlichen Lebensstil. Er hatte nur noch den Wunsch, dem bedrückenden Ritual so schnell wie möglich zu entkommen. Nach einem letzten Schluck Wasser stand er auf.

»Gustav! Was gedenkst du zu tun?«, fragte seine Mutter.

»Wieso? Malen natürlich. Ich gehe jetzt ins Atelier und male, so wie immer, was sonst?«

»O Gott!«

Er beugte sich zu ihr herunter und deutete einen Kuss an. »Danke für das Mittagessen, Mutter. Danke, Hermine.«

»Viel zu viele Kinder«, murmelte die alte Dame vor sich hin.

Klimt streichelte begütigend ihre Schulter. »Mutter – Kinder sind doch ein Geschenk Gottes, oder?«

Hämisch lachte Hermine auf. »Von welchem Gott redest du? Vom jüdischen?«

Klimt betrachtete seine Schwester voller Widerwillen. Ihr graues Gesicht, das immer schon altjüngferlich gewirkt hatte, bebte vor mühsam unterdrücktem Zorn. »Wir sehen uns heute Abend«, sagte er schlicht.

»Und was willst du essen?«, wollte Hermine wissen.

»Wie immer – Eintopf.«

Auf dem Flur griff er eilig nach seinem Mantel, und er war schon halb aus der Tür heraus, als er plötzlich einen gellenden Schrei hörte. Sofort lief er ins Esszimmer zurück und sah seine Mutter, von Krämpfen geschüttelt und grell kreischend Teller und Bestecke auf den Boden werfen. Wahllos griff sie nach allem, was auf dem Tisch stand, auch zwei Gläser waren schon zerbrochen.

»Mutter! Hör auf! Mutter!« Hermine hatte sie mit beiden Händen gepackt und versuchte, ihre Arme festzuhalten. Hilflos stand Klimt da.

»Geh ruhig«, rief seine Schwester ihm über die Schulter zu. »Ich kümmere mich um sie.«

Dann begann sie ihre Mutter grob zu ohrfeigen und beantwortete deren Schreien mit einem schrillen Geheul, bis die alte Frau aufgab und ermattet in sich zusammensank.

Rasch verließ Klimt die Wohnung. Auf der Straße schlug er den Mantelkragen hoch und begann zu rennen, er wollte nur noch weg, weg von diesen leblosen, eingetrockneten Frauen, weg von den Vorwürfen und Bezichtigungen, weg aus einer Welt, in der es nur Stillstand gab und Verzweiflung. Auch wenn er diese Szenen schon gewöhnt war, brachten sie ihn immer noch aus der Fassung. Seit er denken konnte, hatte seine Mutter hysterische Anfälle gehabt, regelmäßig verfiel sie dem Wahn, auf einer Opernbühne zu stehen, oder steigerte sich in überspannte Phantasien hinein, in denen sie von gesichtslosen Verfolgern bedroht wurde. In letzter Zeit aber häuften sich die Anfälle zusehends.

An einer kleinen Bar hielt er atemlos an und stürzte ein Glas Wein hinunter. Er kannte die Ursache für ihren Zustand. In Wahrheit litt seine Mutter mehr um ihn, als sie zugeben mochte, waidwund verfolgte sie in der Zeitung die Attacken seiner Kritiker und lauschte fassungslos den Gerüchten um seine Affären und Hurengeschichten. Ein Arzt hatte zwar »nervöse Erschöpfung« diagnostiziert, doch Klimt wusste, dass er selbst es war, der seine Mutter unaufhörlich in den Wahnsinn trieb.

Gefeiert und umstritten: der Künstler Gustav Klimt (John Malkovich)

Emilie »Midi« Flöge, gespielt von Veronica Ferres

Klimt und Midi verbindet eine platonische Liebesbeziehung.

Die Kunstsammlerin Serena Lederer (Sandra Ceccarelli) unterstützt den umstrittenen Maler.

*Egon Schiele (Nikolai Kinski, mit Miriam Heard),
Freund und Bewunderer Gustav Klimts*

Welche Rolle spielt der geheimnisvolle Sekretär (Stephen Dillane)?

Die rätselhafte Schönheit der Tänzerin (Saffron Burrows) schlägt Klimt in ihren Bann.

Ist die Frau hinter der Maske die echte Lea de Castro?

Klimt wird verführt …

... und dabei von Graf Octave Wolff (Paul Hilton) beobachtet.

John Malkovich als Gustav Klimt

UND? KOMMST DU VON DER FRAU MUTTER?«, empfing ihn Midi, die im Atelier auf ihn gewartet hatte. »Hast du gut gespeist? Oder haben sie dich verschlungen?«

Klimt antwortete nicht, sondern nahm das angefangene Porträt Cléo Leas von der Staffelei und deponierte es hinter anderen halbfertigen Bildern an der Wand. Er mochte den Blick nicht, mit dem Midi davorgestanden hatte, ein Blick, in dem Eifersucht lag und Abscheu.

Stattdessen holte er ein anderes Gemälde hervor, ein auffallend schmales Hochformat, auf dem sich sanft glänzende Frauenleiber wanden. Es war das Bild, das er vor der Parisreise begonnen hatte, eine Gruppe ineinander verschlungener Quellnymphen, die sich auf dunkel schimmerndem Goldgrund dem Blick des Betrachters halb darboten, halb entzogen.

»Keine Blumen heute?«, stichelte Midi. »Ah, ich sehe schon, der große Frauenheld versteckt seine Eroberungen lieber. Und das da? Was wird das?«

Klimt wuchtete das hochformatige Bild auf die Staffelei und ordnete seine Pinsel. Er konnte Midis Anwesenheit kaum ertragen, immer wieder hatte er seine Mutter vor Augen, wie sie heulte und schrie, und immer wieder hörte er das hässliche Geräusch zerberstenden Geschirrs.

»Eigentlich sollte es ›An meine Kritiker‹ heißen«, erklärte er. »Eine Antwort auf die feinen Herren, die meine Allegorien in Grund und Boden geschrieben haben. Aber das ist viel zu viel der Ehre für diese Narren. Wahrscheinlich nenne ich es einfach ›Goldfische‹.«

Midi stellte sich neben ihn und betrachtete das Gemälde. Am unteren Bildrand hockte eine Nymphe, deren rotes Haar sie wie Seegras umfloss, sie hatte dem Betrachter ihr ausladendes Hinterteil entgegengestreckt und lächelte ihn keck an.

»Verstehe«, sagte Midi und zeigte auf die kauernde Gestalt. »Die hier sieht so aus, als wollte sie Götz von Berlichingen zitieren …«

»Du hast den Nagel auf den Kopf getroffen«, erwiderte Klimt. »Was für eine kluge Freundin ich doch habe.«

Er ging in das Ankleidezimmer und vertauschte seinen Anzug mit einem seiner langen Malergewänder. Es war Midi, die sie für ihn nähte: Er besaß viele Varianten dieser luftigen Malerkittel, die seine Freundin für ihn entwarf. Solche Gewänder waren seit kurzem in Mode gekommen; überzeugte Kritiker der Korsetts und Vatermörder hatten eine sogenannte Reformkleidung erfunden. Alles Abschnürende und Einengende sollte abgeschafft werden, und Midi hatte als begeisterte Anhängerin dieser Idee auch Klimt davon überzeugt, dass es besser sei, zumindest bei der Arbeit etwas zu tragen, was ihm Bewegungsfreiheit ließ.

»Was für ein unverbesserlicher Provokateur du doch bist«, seufzte sie jetzt.

Er setzte sich an die Staffelei. Vorsichtig entfaltete er ein Kuvert, in dem viele hundert hauchdünne Rechtecke aus Blattgold lagen. Dann griff er zu einer Pinzette und verteilte eines nach dem anderen auf dem Bild. Blättchen für Blättchen legte er mit äußerster Umsicht und Präzision nebeneinander und drückte sie behutsam mit einem breiten Pinsel an.

Midi hatte eine Weile schweigend zugesehen.

»Entschuldige, ich wollte dich wirklich nicht stören«, begann sie zaghaft. »Aber …«

»Nicht jetzt«, murmelte er.

»Du siehst so ärgerlich aus, so durcheinander und traurig«, versuchte es Midi aufs Neue.

Klimt wandte kein Auge von dem Bild. Mit der Konzentration eines Chirurgen trug er immer neue Schichten Blattgold auf.

»Ach was«, flüsterte er und hielt sich eine Hand vor die Lippen. »Ich bin einfach nicht in der Laune für Plaudereien, lass mich bitte arbeiten. Außerdem – wenn ich zu viel spreche, werden die Blättchen aufgewirbelt.«

Midi atmete schwer. »Gustl, so hör doch zu. Ich musste einfach kommen, weil …«

Unwillig sah Klimt von dem Bild auf. »Morgen, Midi, bitte.«

»Hast du die Fotos gesehen?«, fragte Midi.

Klimt starrte angestrengt auf das Bild. Das Gold schimmerte und funkelte und verlieh dem dunklen Untergrund die Reflexe von bewegtem Wasser, in dem sich die untergehende Sonne spiegelt.

»Nein«, brummte er. »Welche Fotos?«

»Ein Fotograf hat dich verfolgt«, platzte es aus Midi heraus. »Gustl, du musst dir das ansehen! Ich habe die Bilder! Es sind Aufnahmen von dir!«

Sie zog einen Stapel Fotografien aus der Tasche und drapierte sie zu einem Fächer.

»Vorsicht! Mach keinen Wind, du siehst doch, das Zeug ist so zart und dünn, dass jeder Luftzug es wegweht.«

»Jaja«, erwiderte Midi. »Ich passe schon auf. Aber schau dir die Bescherung lieber mal an, bevor du es aus der Zeitung erfährst. Du bist auf den Aufnahmen bestens zu erkennen, wie du mit der Allegorie durch Wien spazierst. Mein Gott, Gustav, man sieht dich, wie du dein eigenes Bild stiehlst!«

»Was?«

Er wandte sich so ungestüm um, dass ein paar Blättchen zu Boden segelten. »Zum Teufel! Lass mal sehen!«

Und tatsächlich, die Fotos zeigten den Maler, wie er mit dem Bild unter dem Arm durch die Stadt wanderte. Er hatte sich nicht einmal Mühe gegeben, seine Beute zu tarnen, deutlich waren die Gestalten seiner »Allegorie der Medizin« zu sehen.

»Hier, und hier!«, sagte Midi erregt, während sie ihm immer neue Fotos reichte.

Klimt erkannte sogar einige Kinder wieder, die ihm gefolgt waren und sich laut lachend über das Bild unterhalten hatten. Ein Junge hatte die Frauengestalt zur Gaudi der anderen Kinder für eine Hexe erklärt, und sie waren um ihn und sein Werk herumgetanzt wie bei einem Hexensabbat.

Achtlos warf er die Fotografien auf den Boden.

»Ich werde das Geld für das Bild zurückzahlen«, knurrte er.

»Aber wann denn?«

Er schob das Kinn vor wie ein trotziger Junge. »So bald wie möglich.«

Midi nahm ihren Hut ab und legte ihn auf den Zeichentisch.

»Und wovon, bitte schön?«, fragte sie. »Du hast doch keinen blanken Heller.«

Sie schob einige Skizzenblätter beiseite und setzte sich auf den Zeichentisch. Ihr Gesicht wirkte müde. »Ach, Gustl ...«

Klimt sah zu Boden, wo die Fotos mit dem Blattgold ein Zufallsmuster bildeten, eine Collage aus flüchtigen Schwarzweißmomenten und purem Gold. Dann rückte er von der Staffelei ab und lief in die Küche. Mit einem Cognacglas in der Hand kehrte er zurück und blieb erregt vor Midi stehen.

»Nur dass du's weißt: Ich gebe keinen Pfifferling auf das Urteil dieser Herren von der Akademie«, rief er. »Sie können ihre dummen kleinen Theorien für sich behalten!«

Midi lächelte ironisch. »Holla, so böse habe ich den kleinen Gustl ja noch nie gesehen.«

Er trank und verzog den Mund. »Diese ganze Auftragsmalerei, das ist doch demütigend. Die erwarten, dass ich mich verkaufe wie eine Hure im Bordell. Sogar von Hartel denkt das im Grunde seines Herzens, auch wenn er es natürlich niemals öffentlich sagen würde. Von jetzt an interessieren mich nur noch Leute, die freiwillig für meine Bilder zahlen – das ist etwas ganz anderes als diese Sklavenarbeit für den Staat. Und ich verspreche dir, die Universität werde ich entschädigen, koste es, was es wolle.«

Midi sah ihn ungläubig an, dann begann sie zu lachen. »Ja, ich lache, entschuldige, Gustav, dass ich so erheitert bin, aber ich lache, weil ich weiß, dass du es ernst meinst. Das ist der wahre Witz an der Sache.«

Er betrachtete sie, wie sie ihr Hohngelächter anstimmte, dann fasste er sie am Arm und schüttelte sie.

»Soso, du hältst das wohl für einen schlechten Witz«, schrie er. »Midi, ich will loskommen! Ich will aus diesen unerquicklichen Lächerlichkeiten heraus, ich will meine Freiheit zurück! Von jetzt an lehne ich jede staatliche Hilfe ab und verzichte auf alles!«

Er hielt Midi das Glas hin, aber sie schüttelte den Kopf. »Trink du nur, ich bewahre mir lieber einen klaren Verstand. Es wird so sein wie immer: Du machst alles kaputt und deine Freunde kehren für dich die Scherben zusammen.«

Auf einen Zug leerte Klimt das Glas und wischte sich mit dem Handrücken über den Mund. »Egal. Ich mache mich wieder an die Arbeit. Und dann schreibe ich einen Brief an den Minister. Ich will seinen elenden Schutz nicht mehr.«

Midi tippte sich an die Stirn. »Dreißigtausend Kronen, Gustl, es geht um dreißigtausend Kronen, hast du das schon vergessen? Ist dir eigentlich klar, was für eine Riesensumme das ist? Nie im Leben kannst du die aufbringen. Aber keine Sorge, ich werde dich nicht länger mit der Wahrheit belästigen.«

Sie setzte ihren Hut auf, ging zur Tür und legte eine Hand auf die Klinke.

»Nein!«, schrie Klimt auf. »Nicht die Tür, denk an das Blattgold! Midi!«

Doch seine Freundin sah ihn nur herausfordernd an, dann drückte sie die Klinke herunter.

»Oh, doch!«, flüsterte sie.

Mit einem Ruck öffnete sie die Tür und schlug sie hinter sich zu. Sofort wirbelte der Luftzug die kleinen Blättchen auf, wie ein goldener Schneesturm schwebten sie durch die Luft und rieselten auf Klimt nieder, der bewegungslos stehen blieb, umgeben von einer Wolke aus Gold.

Es dauerte eine Weile, bis er wieder zu sich kam. Wütend trat er einen Stuhl um, der krachend zu Boden ging und eine Katze traf, die miauend davonstob. Auf einmal hörte er Schritte, doch es war niemand zu sehen.

»Midi? Bist du das?«, fragte Klimt.

»Nein, ich bin's«, vernahm er eine Stimme, die er nur allzu gut kannte.

Der Botschaftssekretär trat aus einer dunklen Ecke hervor, die maunzende Katze auf dem Arm.

Verwundert sah Klimt ihn an. Es war ihm ein Rätsel, wie der Beamte in das Atelier gelangt sein konnte. Hatte er schon länger dort im Dunkel gewartet? Und warum folgte er ihm wie ein düsterer Schatten, warum war er stets zur Stelle, wenn sich etwas Besonderes ereignete? Wie aus dem Nichts tauchte er auf, Zeit und Raum schienen für ihn nicht zu existieren. Existierte der Mann überhaupt? Manchmal wirkte er seltsam körperlos, fand Klimt, und eine tiefe Beklemmung überfiel ihn.

»Klimt, wo sind Ihre guten Manieren?«, lächelte der Beamte. »Wollen Sie Ihrem alten Freund aus Paris denn gar nicht guten Tag sagen?«

Der Maler straffte sich. Wovor sollte er Angst haben? Dieser

Sekretär war nichts weiter als irgendeine verschrobene Gestalt, die ihm aus unerfindlichen Gründen nachstellte. Es war schon merkwürdig genug, dass er einen immer größeren Einfluss auf Klimts Leben ausübte.

»Sie also«, sagte der Maler und ließ sich nichts von seiner Überraschung anmerken. »Hätte ich mir eigentlich denken können. Was in aller Welt machen Sie hier? Und wie sind Sie hier hereingekommen?«

Der Sekretär verbeugte sich diensteifrig und kraulte die Katze, die sich schnurrend in seine Armbeuge schmiegte.

»Ich habe unter Beachtung jedweder angebrachten Diskretion respektvoll draußen gewartet«, erklärte er. »Dann traf ich dieses entzückende kleine Kätzchen, das so freundlich war, mich hier hereinzuführen.«

Die abenteuerliche Erklärung des Sekretärs machte Klimt wütend. Dieser Mann hatte weder die Tür benutzt, durch die Midi das Atelier verlassen hatte, noch war er durch den Hintereingang gekommen, denn der war fest verschlossen. Also war er schlichtweg eingebrochen.

»Warum sind Sie nicht in Paris?«, fragte er schroff.

Der Sekretär legte den Kopf ein wenig schräg, als müsse er nachdenken.

»Paris?«, echote er. »Ach, das ist weit, weit weg.«

Er trat auf die Staffelei zu und betrachtete das Bild.

»Schade, keine Cléo Lea. Sie haben übrigens noch gar nicht nach ihr gefragt, so wie sonst.«

Klimt zuckte die Schultern. »Sie meinen – die falsche Cléo Lea?«

Der Beamte lachte hämisch. »Oh, ich bin im Bilde, sie ist es, die Sie lieben – oder? Doch, doch, Sie lieben die falsche. Immer die falsche.«

»Ich weiß es manchmal selber nicht«, antwortete Klimt.

Angestrengt überlegte er, wie er den ungebetenen Gast

loswerden könnte, denn wenn auch der Sekretär die einzige Verbindung zu Cléo Lea war, so hatte seine Anwesenheit doch selten etwas Gutes bedeutet. Der zersprungene Spiegel im Café Central, die Botendienste für das erste Rendezvous mit Cléo Lea, sein Erscheinen bei der Sezessionsausstellung – Klimt fröstelte es bei diesen Erinnerungen.

»Ah, die Liebe«, lächelte der Beamte jetzt. »Die große Leidenschaft, la grande passion. Vielleicht lieben Sie ja beide Cléo Leas? Oder alle drei? Wer kann das schon wissen? Nichts ist sicher, nichts ist wirklich. Graf Wolff Helenia ist ein echter Wiener, ein Exzentriker vom Scheitel bis zur Sohle – er liebt gewagte Potpourris und es gefällt ihm …«, dabei setzte er das Tier behutsam auf den Boden zurück, »… die Katze mitten in den Taubenschwarm zu setzen.«

Klimt riss die Augen auf. »Wie war das? Alle drei? Was meinen Sie?«

Mit einem unergründlichen Lächeln ging der Botschaftsbeamte im Atelier auf und ab und betrachtete einige halbfertige Bilder, schien aber etwas zu suchen, was er nicht fand. Er zog einzelne Gemälde hervor, die an der Wand lehnten, und schob sie wieder zurück. Auch das Bild auf der Staffelei betrachtete er ausgiebig.

»Wo ist sie denn nun, Ihre schöne Tänzerin? Hat sie sich etwa wieder versteckt? Wie auch immer, Sie sollten sie gelegentlich aufsuchen. Ich bin mir sicher, Cléo Lea erwartet Sie bereits voller Ungeduld.«

Der Maler entfernte ein Goldblättchen von seiner Wange, und sein Blick fiel auf die Fotos, die überall verstreut waren. Sicherlich wusste der Beamte schon von seinem neuerlichen Ungemach.

»Nun doch nur eine Cléo Lea?«, fragte er spitz. »Nicht mehrere?«

Der Botschaftssekretär hatte einen Stapel Skizzen vom Zeichentisch genommen und betrachtete sie flüchtig. Es waren Zeichnungen einer jungen Frau mit langem dunklem Haar, in immer neuen Varianten sah man sie anmutig tänzeln, mal mit erhobenem Fuß, mal mit theatralisch ausgestreckten Händen.

»Schön, sehr schön«, sagte er. »Und überaus verwirrend, die Dame mit den vielen Gesichtern, das gebe ich zu. Aber jetzt entschuldigen Sie mich bitte. Der Graf erwartet mich bereits, und ich verspäte mich nur höchst ungern, zumal es sich für einen Mann niederen Standes wie mir nicht ziemt.«

»Halt, warten Sie!«

Doch der Sekretär war verschwunden, ohne dass eine der Türen geöffnet worden war. Nicht das kleinste Stückchen Blattgold hatte sich bewegt.

HERR KLIMT! KÖNNEN WIR nicht eine Pause machen? Mein rechter Arm ist eingeschlafen«, beschwerte sich ein junges Mädchen, das mit gespreizten Beinen auf einem Stuhl saß und den Arm auf die Lehne gestützt hielt, sodass ihr Kinn auf dem Handrücken ruhte. Sie war nackt und ihr Haar war zu einer nachlässigen Hochfrisur aufgetürmt.

»Dann lass mich weitermachen«, rief ein anderes Modell.

Zusammen mit zwei weiteren jungen Frauen kam sie aus der Küche ins Atelier geschlendert und kaute an einem Stück Käse. Doch jetzt legte sie es auf den Zeichentisch und leckte sich die Finger ab.

»Steh schon auf«, sagte sie zu der Sitzenden. »Ich kann das genauso gut.«

»Sie bleibt, wo sie ist«, ordnete Klimt an. »Und bloß nicht bewegen, nicht einen Millimeter.«

Seit dem frühen Morgen schon zeichnete er ohne Pause, auf der Suche nach einem unverwechselbaren Ausdruck, den er nicht fand, auch wenn er immer neue Stellungen ausprobierte. Er hatte mit den ersten Skizzen für eine neue Allegorie begonnen; denn obwohl kaum Aussicht bestand, dass sie jemals in der Universität hängen würde, hatte er sich in den Kopf gesetzt, die bestellte »Allegorie der Jurisprudenz« zu malen. Vor seinem inneren Auge hatte sich bereits die Vorstellung von drei schmalen, kindlichen Frauengestalten geformt, die ihre Wange in die Hand stützten und mit geschlossenen Augen den Traum der Gerechtigkeit träumten.

Das andere junge Mädchen zuckte die Achseln, nahm wieder ihr Stück Käse und biss hinein. Klimt hörte, wie sie aufgeregt mit den anderen tuschelte. Und obwohl sie ihre Stimme dämpfte, hörte er einzelne Wörter heraus, wie »Diebstahl«, »Schadensersatz« und »Skandal«.

»Was redet ihr da?«, rief er.

»Na, es stand doch in der Zeitung«, gab das Mädchen mit dem Käse kauend zurück. Sie schüttelte ihr dunkelblondes Haar.

»Was stand in der Zeitung? Los, rede schon!«

Das Mädchen kicherte verlegen. »Dass Sie – dass Sie Ihr eigenes Bild gestohlen haben!«

Klimt warf seinen Bleistift von sich.

»Also doch«, presste er hervor. »Diese Mistkerle.«

Schuldbewusst schlug das Modell eine Hand vor den Mund. »Entschuldigung, Herr Klimt. Habe ich etwas Falsches gesagt?«

»Schluss für heute!«, rief der Maler. »Raus, raus jetzt mit euch. Ich sehe euch morgen früh!«

Bereits wenige Minuten später war er auf der Straße und winkte eine Droschke heran. Es war höchste Zeit. Wenn schon in der Zeitung zu lesen war, dass er sein Bild entwendet hatte, dann würden die Folgen nicht lange auf sich warten lassen. Bislang hatte er unter dem Schutz des Kulturministers gestanden, doch sein Coup war ein Affront, der ihren Pakt unwiderruflich auflösen würde.

Einen Plan hatte er nicht, die Situation war hoffnungslos verfahren, und die ungeheure Summe von dreißigtausend Kronen, mit der er sich hätte freikaufen können, war mehr, als er jemals besessen hatte. Er stand mit dem Rücken an der Wand, seinen Widersachern waffenlos ausgeliefert. Alles, was ihm jetzt einfiel, war, zu seiner Freundin zu fahren, um sich mit ihr zu beraten. Auch wenn sein Entschluss feststand, das Bild zu behalten, so war es doch immer Midi, die eine Lösung wusste.

Seit ihrem wütenden Abgang am Tag zuvor hatten sie sich nicht mehr gesprochen. Ob sie ihm noch böse war?

Als er sich in die Droschke setzte, streifte ihn der Kutscher mit einem misstrauischen Blick. Klimt wurde es bang zumute. Hatte der Mann etwa sein Foto in der Zeitung gesehen? Wurde er bereits als Dieb gesucht?

»Gnädiger Herr, bittschön, Sie haben da ein bisserl Farbe auf der Wange«, sagte der Kutscher und grinste.

Erleichtert zog Klimt ein Taschentuch hervor, rieb sein Gesicht sauber und nannte die Adresse von Midis Salon. Er lag an einer belebten Geschäftsstraße im sechsten Bezirk, dort, wo auch die Textilfabriken und großen Konfektionskaufhäuser sich angesiedelt hatten. Jetzt, in der Mittagszeit, waren die Trottoirs voller Menschen. Vor den Geschäften hielten Kutschen, sie warteten auf ihre Herrschaft, die sich in den Modeläden und Schneiderateliers umsahen.

Als die Mietdroschke endlich vor Midis Atelier mit seinen breiten Schaufenstern hielt, warf Klimt dem Kutscher ein paar Münzen zu und stürmte hinein.

»Midi? Wo bist du?«, rief er.

Er fand seine Freundin in den hinteren Räumen, über einen langen, schmalen Tisch gebeugt, wo sie Entwürfe für neue Abendkleider zeichnete. Erleichtert stellte er fest, dass Midis Gesicht nicht die geringste Verärgerung mehr zeigte. Sie schien sich sogar zu freuen, dass er gekommen war.

»Gut, dass du da bist«, begrüßte sie ihn und zeigte auf einen dicken Packen Zeitungen. »Hier, ich habe sie gleich heute Morgen für dich gekauft. Deine Freunde sind großartig, sie sind geschlossen angetreten, um dich zu verteidigen, allen voran Berta Zuckerkandl. Lies selbst: ›Freiheit für die Kunst!‹, lautet ihre Schlagzeile. Und sie fordert: ›Nieder mit der Zensur!‹«

Aufgeregt blätterte Klimt in den Zeitungen und überflog

die Artikel. Überall waren die Fotos abgebildet, die Midi ihm gezeigt hatte, es gab einige empörte Kommentare, aber seine Mitstreiter feierten ihn als Helden der künstlerischen Freiheit. Und Berta Zuckerkandl hatte den Skandal zum Anlass genommen, gleich das ganze System der Auftragsmalerei in Frage zu stellen.

»Dann hat sie es – es wirklich ge-getan«, stammelte Klimt erregt. »Sie hat es versprochen und sie hat Wort gehalten. Ach, Midi, mir ist schon viel besser, wenn ich das lese.«

Midi nahm ein Stück Stoff vom Zuschneidetisch und drapierte es um seine Schultern.

»Aber das ist noch nicht alles, großer Malerfürst«, sagte sie scherzhaft im Tonfall einer Dienerin. »Stell dir vor: August Lederer, dein Freund und Gönner, hat die ›Allegorie der Philosophie‹ gekauft! Für sage und schreibe dreißigtausend Kronen! Nenn es einen Kauf oder nenn es eine Rettungsaktion, es kommt auf das Gleiche heraus. Es ist eine Sensation! Und du hast jetzt keine Schulden mehr, ist das nicht herrlich?«

Klimt hielt sich an einer Schneiderpuppe fest, um nicht umzusinken. Noch konnte er sein Glück kaum fassen. War er wirklich frei? Konnte er jetzt wirklich sein Bild auslösen?

»Du bist ja weiß wie die Wand«, bemerkte Midi. »Nun freu dich doch!«

Überwältigt nahm Klimt seine Freundin in die Arme und legte den Kopf an ihre Schulter. Alles fiel von ihm ab, alle Ängste, alle Panik, und er war so aufgewühlt, dass ihm Tränen in die Augen schossen.

»… das alles habe ich dir zu verdanken«, schluchzte er.

Midi strich über seinen zuckenden Rücken. »Ich war es ja nicht allein. Wie gesagt, alle deine Freunde haben sich für dich ins Zeug gelegt. Der Einzige, der untätig war, bist du.«

Er hob den Kopf und sah ihr in die Augen. »Ach, nimmst du mir das immer noch übel?«

Ihre Hand stockte. »Hast du dich mit ihr verabredet?«, fragte sie unvermittelt.

Es war ein Überraschungsangriff, mit dem er nicht gerechnet hatte.

»Ich dachte … Nein, nein, aber nein …«, stotterte er.

»Was genau dachtest du? Dass sie noch in Paris ist? Weit weg, zu weit weg für ein Rendezvous?«

Wie vor den Kopf geschlagen durch den unvermuteten Stimmungswechsel ließ er Midi los und ging zu einem hohen Schneiderspiegel. Das untrügliche Gespür, mit dem Midi seine neu aufgeflammten Gefühle für Cléo Lea erraten hatte, war ihm unheimlich.

»Manchmal frage ich mich, ob es sie wirklich gibt«, brach es aus ihm heraus.

Midi verzog den Mund. »Wie originell. Verliebt in eine Phantasie. Du erwartest hoffentlich nicht, dass ich das glaube.«

»Liebst du mich?«, fragte Klimt schnell.

»Und du? Liebst du mich?«

Im Spiegel suchte er ihre Augen. Sie stand abwartend da, ein paar Schritte hinter ihm, ohne sich eine Gefühlsregung anmerken zu lassen, aber ihre Hände waren so fest ineinander verknotet, dass ihre Knöchel weiß hervortraten.

»Ich möchte dich heiraten«, sagte er leise.

Ihre Augen verengten sich. »Heiraten? Meinst du das ernst?«

»Nein. Ja. Eine Art – freie Ehe.«

»Wozu? Du hast doch schon eine Frau – deine Mutter«, spottete sie. »Und fürs Vergnügen hältst du dir einen ganzen Harem aus Modellen und leichten Mädchen. Was willst du also mit mir? Auch wenn du manchmal zu mir unter die Bettdecke kriechst, ich war nie mehr als eine – Freundin.«

Sie schwiegen. Dann nahm Midi ohne ein Wort ein langes,

bestricktes Gewand von einer Schneiderpuppe, streifte es ihm über und sah über seine Schulter hinweg in den Spiegel.

»Wie ein orientalischer Prinz«, raunte sie. »Genau das Richtige für einen Mann, der keine Ehefrau will, sondern einen Harem. Bald ist der Kostümball bei den Primavesis. Und damit du noch echter aussiehst, habe ich dir auch einen Turban gemacht.«

Sie lief zu einer Vitrine und holte ein kunstvoll verschlungenes Tuch in leuchtendem Türkis heraus, an dem eine Pfauenfeder wippte. Dann kehrte sie zu ihm zurück und drückte den Stoffturban auf sein Haar. Gedankenverloren betrachtete er sich im Spiegel, während er sich hin und her drehte. Sieh an, ging es ihm durch den Kopf, ich bin doch ein recht passabler Klimtdarsteller. Für einen Kostümball reicht es zumindest. Wer kann schon sagen, was ich wirklich bin? Wer kann schon echte und falsche Klimts voneinander unterscheiden?

»Du siehst wunderbar aus, mein Prinz«, flüsterte Midi. »Und ich habe noch mehr Neuigkeiten für dich: Du bist soeben Vater eines kleinen Jungen geworden.«

Sofort kehrte das Leben in ihn zurück.

»Ein Sohn?«, rief er aufgeregt. »Von wem denn?«

Midi nahm ihm den Turban ab und legte ihn beiseite. Sie sah an ihm vorbei in den Spiegel, als sie erwiderte: »Von Mizzi.«

Seine Augen weiteten sich. »Aber das ist ja wunderbar! Ich habe einen Sohn!«

Er machte ein paar Walzerschritte, dann sprang er wild gestikulierend umher und wirbelte ausgelassen durch das Atelier. In seinem weiten Gewand sah er aus wie ein tanzender Derwisch.

Midi betrachtete ihn seufzend. Es würde keine Hochzeit geben, nie. Dieser Mann würde sich niemals nur für eine Frau entscheiden, und ihr blieb nur die Wahl, ihn mit anderen Frauen zu teilen oder ihn zu verlassen.

»Ja, Gustl, du hast einen Sohn, und ich freue mich sehr für dich«, sagte sie tonlos.

»Ein Sohn, ein Sohn«, jubelte Klimt, nahm sie an der Hand und drehte sie um sich selbst, dann tanzte er mit ihr durch das Atelier, immer schneller drehten sie sich, bis sie vom Schwindel betäubt auf den Boden fielen und sich umarmten.

»Geh nur«, flüsterte Midi atemlos unter seinen Küssen. »Geh zu ihr, sie wartet bestimmt auf dich.«

ES DÄMMERTE SCHON, als Klimt in den Hinterhof einer schäbigen Mietskaserne trat. Der Putz bröckelte von den Fassaden, einige Fensterscheiben waren zerbrochen und nur notdürftig mit Pappe repariert. Kein Lichtstrahl fiel auf den verdreckten Boden des Hinterhofs, wo zwischen Abfallkübeln und zerbrochenen Flaschen zwei schmutzige Kinder spielten.

»Papa, Papa!«, schrie eines der Kinder, ein kleiner Junge von etwa fünf Jahren.

»Gustav!«, rief Klimt. »Mein Gustl!«

Er breitete die Arme aus, und sofort kam der Junge auf ihn zugelaufen, sprang in seine Arme und gluckste vor Vergnügen, als Klimt ihn in die Luft warf.

Vom Lachen und Geschrei angelockt, trat eine junge Frau an ein Fenster im zweiten Stock. Sie sah abgezehrt aus, dunkle Ringe lagen unter ihren Augen und ihr noch junges Gesicht wirkte erschöpft.

»Das reicht«, rief sie in den Hof hinunter, »lass Papa los, Gustav, ich muss in Ruhe mit ihm reden.«

Klimt setzte den Jungen zurück auf den Boden und sprang im Laufschritt die Treppen hoch. Seit vielen Jahren schon kam er immer wieder hierher. Mizzi Zimmermann war einst sein Modell gewesen, und er hatte sich nie von ihr trennen können, denn so viele Kinder er auch haben mochte, der kleine Gustl war ihm seltsam nahe. Der Junge hatte seine Augen geerbt, seinen stets etwas skeptischen, forschenden Blick, in dem Klimt sich selbst wiedererkannte.

Mizzi hatte ihn schon auf dem Treppenabsatz erwartet, eilig nahm sie seine Hand und zog ihn in einen niedrigen Raum, der Wohnzimmer, Esszimmer und Schlafzimmer zugleich war. Die Einrichtung bestand nur aus dem Nötigsten. Ein schmales Bett in der Ecke, vor dem Fenster ein Tisch mit zwei Stühlen, eine Anrichte mit Geschirr, das war alles, was sie hatte. Es roch durchdrigend nach Eintopf und Windeln.

»Wollen Sie den Kleinen sehen?«, fragte Mizzi.

Sie trug ein schlichtes schwarzes Kleid, um die Schultern hatte sie ein braunes Wolltuch geschlungen und die dunklen krausen Haare waren zu einem strengen Knoten festgezurrt. Ihre hellen Augen wirkten verweint.

Klimt nahm sie in die Arme und drückte sie zärtlich.

»Natürlich«, flüsterte er dicht an ihrem Ohr. »Wie sieht er aus? Ist er mir ähnlich?«

»Ja, ganz der Papa«, erwiderte Mizzi und lächelte matt. »Kommen Sie, ich zeige Ihnen das Kind.«

Sie wollte ihn in ein dunkles Nebengelass führen, doch plötzlich versteinerte sein Gesicht und sein Schritt stockte.

»Vielleicht doch besser nicht heute.«

»Warum?«, fragte sie. »Er ist so hübsch …«

Abwehrend hob der Maler die Hände. »Lieber, wenn er ein bisschen älter ist. So ein winziges Baby, ich weiß nicht, ich glaube, das ist nichts für mich.«

»Gut, dann ein andermal«, sagte Mizzi enttäuscht. »Möchten Sie etwas trinken?«

Unschlüssig spähte Klimt noch einmal in den kleinen Nebenraum, dann ging er zum Tisch und setzte sich. Seine Augen wanderten durch die schäbige Stube, schuldbewusst mied er Mizzis Blick.

»Nein, ich habe keinen Durst«, antwortete er. »Aber ich habe einen Vorschlag für einen Namen: Wie findest du Otto?«

Mizzi knickste unwillkürlich, wie ein Dienstmädchen. »Wie Sie wollen, Herr Klimt.«

Er griff nach einem kleinen Bilderbuch, das auf der blank gescheuerten Holzplatte lag, und blätterte darin.

»Was ist denn das?«, fragte er neugierig. »Von mir hast du das jedenfalls nicht.«

»Ach«, sagte Mizzi, »das ist nur das Geschenk von jemandem, der keinen besonders guten Geschmack hat.«

»… keinen besonders guten Geschmack, soso«, wiederholte Klimt. »Hört sich ganz so an, als ob dein Vater hier gewesen ist. Was wollte er? Braucht er wieder Geld?«

»Es war tatsächlich mein Vater, aber …«

»Ja?«

Ängstlich sah sie Klimt an. »Aber es ging diesmal nicht um Geld. Er hat mich besucht, weil er möchte – dass unsere Kinder im jüdischen Glauben erzogen werden.«

Ihr Blick flackerte, und man sah ihr an, dass sie mit heftigem Widerspruch rechnete. Die Hände über dem schwarzen Kleid gefaltet stand sie da, den Kopf gesenkt, in Erwartung eines Donnerwetters, wie ein Kind, das seinem Vater soeben einen Streich gebeichtet hatte.

Klimt jedoch zeigte weder Erstaunen noch Empörung. Stattdessen spielte er mit dem Bilderbuch, dessen einzelne Szenen sich beim raschen Blättern zu einer Sequenz zusammensetzten. Immer wieder ließ er die Seiten wie ein Daumenkino vorbeischnellen, immer wieder verbeugte sich ein Clown im geringelten Anzug und sprang durch einen Reifen, und Klimt dachte wehmütig an den Regisseur in Paris, der Cléo Lea auf der Leinwand zum Leben erweckt hatte, so sinnlich, so wirklich, dass er sich auf der Stelle in die Schauspielerin verliebt hatte. Und in alle anderen Cléo Leas, ganz gleich, wie viele es geben mochte.

»Also – was sagen Sie dazu?«, fragte Mizzi vorsichtig.

Klimt legte das Bilderbuch beiseite.

»Von mir aus – solange er sich selbst darum kümmert ...«, murmelte er.

Verblüfft sah Mizzi ihn an. »Wirklich? Dann haben Sie nichts dagegen?«

Ihre Stimme zitterte und ihre Augen füllten sich mit Tränen der Erleichterung.

»Nein, warum?«

Mizzi druckste verlegen herum. »Ich, ich dachte – nun, dass Sie katholisch sind.«

Belustigt sah Klimt auf und strich sich über den drahtigen Bart.

»Ich? Ich bin gar nichts«, erklärte er. »Aber wenn deinem Vater so viel daran liegt, dass seine Enkelkinder in Gottesfurcht aufwachsen, dann will ich ihm nicht im Wege stehen.«

Alle Anspannung war nun aus Mizzis Gesicht verschwunden und sie lehnte sich glückselig lächelnd an den Fensterrahmen.

»Sie glauben gar nicht, wie froh ich bin!«, rief sie aus. »Ich war nämlich ganz unsicher, wie Sie reagieren würden. Danke, Herr Klimt, tausend Dank!«

Sie ging auf ihn zu und wollte ihn umarmen, aber er schob sie von sich, zog einen kleinen Umschlag aus dem Jackett und legte ihn auf den Tisch.

»So wie immer«, sagte er. »Das reicht für zwei Monate.«

Wieder knickste Mizzi. »Danke, Herr Klimt. Ohne Sie wären wir verloren, Gustl und ich. Und der Kleine.«

»Schon gut. Ich brauche dich nächste Woche«, entgegnete der Maler so sachlich, als ginge es um eine Besorgung. Und doch war es ihr Liebesritual seit Jahren, sich einmal in der Woche zu treffen.

»Am Dienstag, so wie immer. Kannst du es einrichten?«

Aber Mizzi antwortete nicht, sondern sah angestrengt aus

dem Fenster. Sie schien etwas zu beobachten, was sie außerordentlich beunruhigte.

»Gustl!«, schrie sie plötzlich. »Gustl!«

Dann rannte sie ohne weitere Erklärung die Treppen hinunter auf den Hof. Klimt folgte ihr und sah, wie sie dem Kind einen Klaps auf den Hosenboden gab. Sofort fing es an zu weinen.

»Ich habe es dir schon hundert Mal gesagt«, rief Mizzi aufgebracht. »Du sollst nicht mit diesem Jungen spielen! Das nächste Mal bleibt es nicht bei einem Klaps, verstanden?«

Gustls Weinen steigerte sich zu einem angstvollen Geheul.

»Was hat er denn getan?«, fragte Klimt.

Mizzi zeigte wutentbrannt in eine Ecke des Hofs, wo sich ein kleiner Junge an die Wand drückte. »Aber Herr Klimt! Gustl hat mit diesem widerlichen Bastard gespielt, und das, obwohl ich es ihm verboten habe! Man weiß ja nicht mal, woher der Bengel kommt!«

Betreten drückte sich der Spielkamerad des kleinen Gustl noch fester an die Hauswand, als erwarte er Prügel. Er war ein winziges Bürschchen in Gustls Alter, sein Gesicht hatte asiatische Züge, sein glattes, kurzes Haar war tiefschwarz und er trug einen bestickten Kittel, auf dem ein Drache mit einem Löwen kämpfte. Obwohl er sichtlich Angst hatte, verzog er keine Miene. Nur seine Nasenflügel bebten leicht.

»Nun, ich denke, er kommt aus China«, stellte Klimt ruhig fest, während er den Jungen näher betrachtete.

»Und was macht dieser vermaledeite Chinese dann hier bei uns in Wien?«, keifte Mizzi. »Soll er doch in China bleiben, wo er hingehört!«

Klimt nahm Gustl in die Arme, der immer noch vor sich hin schniefte und verstohlen zu seiner Mutter sah.

»Vielleicht wollte die Familie in China bleiben und konnte es nicht«, erwiderte er. »Sie wären nicht die Ersten, die unfreiwillig ihr Land verlassen. Nicht wahr, Gustl?«

Er strich dem Kind tröstend übers Haar. »Pass auf, kleiner Mann, jetzt erzähle ich dir mal was über deinen Vater.«

Er ließ den Jungen los und zog an seinen eigenen Lidern, bis seine Augen nur noch Schlitze waren.

»Siehst du, Gustl?«, lachte er. »Dein Vater ist auch ein Chinese. Ja, du hast richtig gehört, ich bin ein Chinese. Ich sehe chinesisch aus und ich spreche auch chinesisch.«

»Nein«, widersprach der Junge.

Sein Spielkamerad musterte Klimt unbeweglich, aber höchst interessiert. Noch immer stand er eng an die Hauswand gepresst da.

»Dafür bin ich manchmal auch ein Türke«, fuhr Klimt fort. »Und wenn ich in düsterer Stimmung bin, werde ich ein Neger.«

Der kleine Gustav sah seinen Vater mit großen Augen an, dann schüttelte er schüchtern den Kopf.

Mit gespielter Entrüstung rief Klimt: »Du glaubst mir nicht? Hör mal zu. Tsching, tschang, tschung!«

Gustl begann zu lachen und auch der kleine Chinese verzog den Mund zu einem kleinen Lächeln.

»Schluss jetzt«, unterbrach Mizzi ihn ärgerlich. »Sie wissen ja gar nicht, was Sie da anrichten, Herr Klimt. Als Nächstes rennt Gustl zu den Nachbarn und erzählt, sein Vater sei ein Neger!«

»Und warum nicht? Es stimmt doch!«, grinste Klimt. »Ich bin ein Neger aus Patagonien, und wenn ich nicht brav bin, werde ich in einen Käfig gesperrt!«

»Sie können furchtbar grausam sein«, sagte Mizzi leise.

»Du auch, Mizzi«, erwiderte Klimt ungerührt.

Ihre Verwandlung von der sanftmütigen Geliebten in eine Furie, die ihren Hass gegenüber allem Fremden ungehemmt zeigte, hatte ihn zutiefst abgestoßen. Er warf ihr einen bösen Blick zu, dann ging er zu dem chinesischen Jungen hinüber.

»Und du?«, fragte er. »Du weinst gar nicht?«

Immer noch lächelte der Junge undurchdringlich. Es war schwer zu erkennen, was er dachte oder fühlte, so gut einstudiert war seine Maske der Selbstbeherrschung.

In diesem Moment lief ein ebenfalls chinesisch aussehender Mann in den Hof. Seine Seidenjacke hatte das gleiche Drachenmuster wie die Jacke des kleinen Jungen. Schützend stellte er sich vor ihn.

»Mein Sohn weiß, dass er nicht weinen darf«, erklärte er. »Er muss lächeln. Ich sage ihm immer: Wenn du lachst, dann lacht die Welt mit dir, aber wenn du weinst, dann wendet sie sich ab.«

»Papperlapapp«, versetzte Mizzi völlig außer sich. »Hören Sie doch nur, Herr Klimt, was für einen Unsinn dieser komische Mann redet.«

Aber der Chinese tat so, als habe er ihre Beleidigung gar nicht gehört. Unverwandt sah er den Maler an, als habe er ihn schon einmal gesehen.

»Sind … Sie – Herr Gustav Klimt?«, fragte er schließlich zögernd.

Verblüfft sah Klimt den Mann an. Er mochte kaum glauben, dass ihn jemand in dieser armseligen Gegend kannte.

»Ja, der bin ich«, antwortete er. »Aber woher wissen Sie das?«

Mizzi zog Gustl an sich und beobachtete empört die Unterhaltung der beiden Männer. »Aus der Zeitung, woher sonst?«

»Oh, die Leute hier im Viertel sprechen viel von Ihnen«, versicherte der Chinese. »Sie sind ein berühmter Mann.«

Er verbeugte sich tief. »Hätten Sie vielleicht einen Moment Zeit? Ich würde Ihnen gern etwas zeigen.«

Mizzi stemmte die Hände in die Hüften und wollte gerade protestieren, doch Klimt ließ sie einfach stehen und folgte dem Chinesen zu einer Wohnung im Erdgeschoss, an deren Türschwelle der Maler unwillkürlich stehen blieb. Nur langsam gewöhnte er sich an das Halbdunkel und ein scharfer, fremder Geruch nahm ihm den Atem. Die niedrigen, lichtlosen Räume waren erfüllt von Essensdünsten. Eine kleine, magere Chinesin rührte Gemüse in einer ausladenden Pfanne, aus der es dampfend zischte. Am Boden hockte ein Kind von etwa zwei Jahren, das mit einer leeren Flasche spielte. Die fleckigen Wände waren bedeckt von Schimmel.

»Willkommen in meiner bescheidenen Behausung«, lächelte der Chinese. »Darf ich Ihnen meine Familie vorstellen? Am Herd, das ist meine Frau, auf dem Boden sehen Sie den jüngeren Bruder meines Sohnes, und dort in der Ecke, das ist mein Vater. So treten Sie doch näher.«

Als der kleine Junge den unbekannten Gast bemerkte, krabbelte er ängstlich zu seiner Mutter und hielt sich an ihrem verwaschenen blauen Kittel fest. Klimt sah sich neugierig um. Jetzt erst erkannte er in einer Ecke den Großvater der Familie, einen dürren Greis mit langem, grauem Bart, der auf einer Matte eingenickt war.

»Sehr erfreut«, murmelte Klimt.

An der Stirnwand des Raumes hing ein rotsamtener Vorhang, den der Chinese nun mit feierlicher Geste beiseite zog. Dahinter kamen einige Gemälde zum Vorschein, und es war kein größerer Kontrast vorstellbar als zwischen der fremdartigen, festlichen Farbigkeit der Bilder und der düsteren, armseligen Wohnung, in der sie hingen.

Wieder verbeugte sich Klimts Gastgeber.

»Ich dachte mir, dass sie vielleicht Ihr Interesse wecken könnten, Herr Klimt«, erklärte er. »Wissen Sie, ich träume davon, eines Tages eine Galerie zu eröffnen, nur verfüge ich momentan leider nicht über die Mittel dafür. Wenn es jedoch ein Bild gibt, das Ihnen gefällt …«

Fasziniert schritt Klimt auf die Gemälde zu. Die anmutig

angedeuteten Landschaften, die in zarten Pastelltönen gemalten Blüten, die kunstvoll hingetuschten Silhouetten von Bäumen und Bergen, all das war sehr stilisiert und doch sinnlich präsent, und er ging noch näher heran, um dem Geheimnis dieser fremdartigen Maltechnik auf den Grund zu gehen.

»Sind Sie ein Kenner der chinesischen Kunst?«, fragte der Chinese. »Sie scheinen Gefallen an den Bildern zu finden.«

Klimt widerstand nur schwer der Versuchung, das Gemalte zu berühren. Er, der seine Bilder immer manischer füllte, mit Ornamenten, mit mosaikhaften Mustern, mit zunehmend ungegenständlichen Flächen aus Form und Farbe, betrachtete staunend diese luftigen Gebilde, welche dennoch die vollkommene Illusion von Tiefe und Raum erzeugten.

»Ein Fachmann bin ich nicht«, bekannte er. »Aber ich habe schon ähnliche Bilder gesehen, das waren jedoch japanische. Damals, bei der Weltausstellung hier in Wien, wurden Holzschnitte aus Japan gezeigt. Und Sie? Kommen Sie wirklich aus China?«

»Meine Frau und ich sind schon hier geboren, mein Vater ist einst aus China eingewandert.«

Der Chinese zeigte auf den alten Mann, der noch immer schlief, den Kopf an die Wand gelehnt. »Er kopiert die traditionelle chinesische Kunst – he, Vater! Wach auf! Der Herr möchte sehen, wie du malst!«

Der Chinese rüttelte an der Schulter seines Vaters, der benommen die Augen öffnete. Die beiden besprachen sich kurz miteinander, dann stand der alte Mann auf, verbeugte sich und huschte ins Nachbarzimmer.

»So setzen Sie sich doch«, lud der Chinese Klimt ein und deutete auf ein Sitzkissen. »Möchten Sie eine Tasse Tee? Mein Vater bereitet inzwischen seine Pinsel vor.«

Währenddessen hatte der kleine Junge ein paar chinesische Schriftzeichen auf ein Stück Papier gemalt und reichte es Klimt.

»Danke, kleiner Mann«, sagte er. »Was bedeutet das?«

»Es ist Ihr Name, auf Chinesisch«, antwortete der Vater für den Sohn. »Übersetzt heißt er Ku Lee Ming.«

Klimt betrachtete noch die Schriftzeichen, als der alte Mann zurückkehrte, einen Bogen Papier entrollte und mit geisterhafter Geschwindigkeit eine Landschaft auf das leere Blatt tuschte. Mit flatternden Bewegungen setzte er die Pinselstriche, und man spürte, dass er seine Kunst in jahrzehntelanger Übung zur Vollkommenheit gebracht hatte. Jede Geste, jeder Pinselstrich saß. Dann unterbrach der alte Mann seine Arbeit und redete auf den älteren Jungen ein.

»Mach weiter!«, befahl dessen Vater. »Zeig dem Herrn, wie gut du malen kannst. Was meinen Sie, Herr Klimt, eine halbe Krone ist doch nicht zu viel verlangt für dieses Meisterwerk? Und Sie haben noch nicht alles gesehen – wir haben eine Überraschung für Sie!«

Er stupste seinen Sohn an und der Junge nahm mit ernstem Gesicht einen Pinsel zur Hand.

»Passen Sie gut auf«, flüsterte der Chinese.

Der alte Mann nahm ein neues Blatt und tuschte eine Linie auf das Papier. Der Junge beantwortete sie mit einer zweiten, und abwechselnd formten sie nun das Porträt eines Mannes, das nach ein paar weiteren leicht hingeworfenen Pinselstrichen die Gestalt eines Pferdes annahm und sich schließlich in die Silhouette zweier kämpfender Krieger verwandelte.

Die magische Metamorphose hatte sich so schnell ereignet, dass das Gemalte lebendig zu werden schien, lebendig wie Wellen oder Wolken, die immer neue Formen hervorbrachten.

Klimt war sprachlos. Eine Weile stand er mit offenem Mund da, dann rief er: »Das ist – phantastisch!«

»Es kostet nur eine halbe Krone«, wiederholte der Chinese geschäftsmäßig. »Das ist wirklich nicht teuer, oder?«

»Nein, ist es nicht«, presste Klimt hervor und zog seine

Geldbörse. »Ich nehme es, ich nehme alles, was sie malen, aber ich möchte mehr sehen …«

Der Chinese schnippte mit den Fingern, und daraufhin beugten sich der Großvater und sein Enkel wieder über das Papier und tauchten ihre Pinsel in die Tusche.

IN SEIN ATELIER ZURÜCKGEKEHRT, nahm Klimt seinen Skizzenblock und begann zu zeichnen. Er wollte den Eindruck überirdischer Leichtigkeit festhalten, den Zauber eines Strichs, der sparsam eingesetzt wurde und gerade dadurch seine magische Vieldeutigkeit erhielt. Blatt um Blatt füllte der Maler, und erst, als er den Block auf den Zeichentisch zurücklegte, entdeckte er darauf einen Briefumschlag ohne Absender.

Ob es eine Botschaft von Midi war? Als er den Brief entfaltete, wurde ihm heiß. Er kannte die Schrift. Es war eine Einladung von Cléo Lea. Noch am selben Abend wollte sie ihn empfangen, um Punkt acht Uhr, im Wiener Palais des Grafen Wolff Helenia. Klimt holte seine Taschenuhr hervor. Es war spät geworden, doch wenn er sich beeilte, konnte er es gerade noch schaffen.

Unverzüglich machte er sich auf den Weg. Während der Fahrt zerbrach er sich den Kopf darüber, wer das Billett in sein Atelier gebracht haben mochte. Ob es der unselige Botschaftssekretär gewesen war, der rastlose Bote? Konnte er am Ende durch Wände gehen?

Aber schon hielt die Droschke, und Klimt stieg aus, geblendet vom Schein heller Fackeln, die die Auffahrt zu einer eindrucksvollen Residenz säumten. Die Villa Vasari war eines der prachtvollsten Häuser Wiens, Säulen und Zinnen schmückten es, und alle Fenster waren hell erleuchtet.

Klimt spürte eine unbestimmte Erregung. Mit gemischten

Gefühlen stieg er die Stufen zum Portal hoch. Monate, vielleicht auch Jahre waren vergangen, seit er Cléo Lea in Paris gesehen hatte. Man erzählte sich viel von dem glanzvollen gesellschaftlichen Leben in diesem Haus, von ausgelassenen Bällen und bizarren Kostümfesten, doch nie zuvor war Klimt dort gewesen.

Er war noch nicht ganz oben angelangt, als sich ihm ein Diener in den Weg stellte.

»Die Dame des Hauses bittet Sie, in ihren Salon zu kommen«, sagte er förmlich. »Ich werde Sie begleiten.«

Sie liefen über lange Flure und gelangten in einen ganz in Blau gehaltenen Raum. Zuvorkommend öffnete der Diener nun Tür um Tür einer ganzen Flucht von immer neuen, kostbar dekorierten Zimmern, die im Licht vielarmiger silberner Kerzenleuchter erstrahlten, als erwarte man eine große Abendgesellschaft. Doch alles war wie ausgestorben.

»Madame wird gleich bei Ihnen sein«, versicherte der Diener, als sie in einem fensterlosen Gemach angekommen waren, das zwar elegant eingerichtet war, nach der demonstrativen Pracht der vorangegangenen Salons jedoch eher intim wirkte.

Klimt sah sich um. Gelbseidene Chaiselongues standen an den Wänden, der weiche Teppich schimmerte in einem sanften Honigton und in einer chinesischen Vase war ein ganzer Arm voll gelber Lilien arrangiert. Jäh fühlte er sich an Paris erinnert, an sein erstes Rendezvous mit Cléo Lea. War sie wirklich hier? Oder war es eine andere?

Plötzlich hörte er ein Lachen, und eine Dame betrat den Raum, die vage jenen Cléo Leas ähnelte, die Klimt kannte, mit dunklem Haar und hellen Augen, aber ihre Stimme klang völlig fremd, tief und kehlig war ihr Lachen, ganz anders, als Klimt es in Erinnerung hatte.

Stocksteif stand er da und betrachtete sie. Dies muss die echte Cléo Lea sein, durchfuhr es ihn, kann es sein, dass ich sie heute, nach all den Jahren, endlich kennen lerne? Oder war es doch seine Cléo, nur ein wenig gealtert? Er hatte sie so oft gezeichnet und gemalt, dass sich längst die selbsterschaffenen Abbilder vor seine Erinnerung geschoben hatten, nur ein Aroma war von ihr übrig geblieben, eine Ahnung eher als ein Bild.

Unsicher sah er sie an. Sie war wie für einen Ball gekleidet, eine Woge von Stoff umgab sie, eine raschelnde Abendrobe in Karmesinrot, und auf ihrem hochgesteckten Haar funkelte eine kleine, mit Diamanten besetzte Tiara.

»Willkommen!«, rief sie aufgeräumt. »Ich freue mich sehr, Sie endlich einmal wieder empfangen zu dürfen! Und Sie? Macht es Ihnen Freude, Ihrer Cléo Lea nach so langer Zeit wieder zu begegnen?«

Aufmerksam musterte er sie wieder, suchte nach etwas Vertrautem, nach einem Grübchen, nach einem bestimmten Schwung der Augenbraue, doch es blieb dabei: Ohne Zweifel hatte er diese Frau noch nie in seinem Leben gesehen.

»Ich – ich weiß nicht ...«, stammelte er.

Sie aber kümmerte sich nicht im Geringsten um seine Befangenheit, sondern plauderte drauflos, als seien sie alte Bekannte.

»Ich bin ja so froh, dass mein Briefchen Sie noch erreicht hat«, sagte sie. »Es ist schon seltsam, welchen Lauf die Dinge nehmen – eigentlich hatte ich Wien nämlich heute verlassen wollen, meine Sachen waren schon gepackt, und ich wollte gemeinsam mit dem Grafen zu einer großen Reise aufbrechen.«

Sie zeigte auf eine Ansammlung von Koffern, Taschen und Hutschachteln aus feinstem Leder, die in der Ecke zu einem Turm aufgestapelt waren.

»Aber dann passierte etwas Merkwürdiges.« Sie senkte verschwörerisch ihre Stimme. »Wissen Sie, ich glaube an die tiefe Bedeutung von Träumen, und letzte Nacht träumte ich von zwei Seeschlangen – ich liebe Schlangen –, jedenfalls sah ich diese zwei im Traum, und die Stimme Gottes ertönte und befahl mir, in Wien zu bleiben. Ich gehorchte. Ich höre immer auf meine Träume. Und daher hat das Schicksal es so gefügt, dass wir jetzt ganz allein sind, denn der Graf konnte seine Reise leider nicht aufschieben.«

Sie betrachtete ihn schelmisch, ihr Blick war offen und fordernd. Dann wendete sie sich von ihm ab und ging langsam in das angrenzende Boudoir, wobei sie die Stola fallen ließ, die ihre nackten Schultern bedeckt hatte.

Klimt brauchte keine weitere Ermutigung. Entschlossen folgte er ihr, fand jedoch das Zimmer zu seinem größten Erstaunen leer, obwohl keine Türen sichtbar waren. Gerade wollte er nach dem Diener rufen, als Cléo Lea wieder vor ihm stand, nun in einem rotseidenen Morgenmantel. War es nicht völlig unmöglich, dass sie sich in dieser kurzen Zeit umgezogen hatte? War es wieder eine neue Cléo Lea, die ihn narrte?

»Man hat mir alles Mögliche über Sie erzählt«, raunte sie, »außergewöhnliche Dinge sogar. Es scheint so, als seien Sie ein großer Verehrer der Frauen. Und ein noch größerer Liebhaber ...«

Sie beugte sich zu ihm vor und küsste ihn leicht auf den Mund. Ungeduldig zog Klimt sie an sich und versuchte, ihr den Morgenmantel vom Leib zu reißen, doch sie schob seine Hände weg.

»Nur keine Umstände«, flüsterte sie, »ich mache mir privat nichts aus Nacktheit, nur auf der Bühne zeige ich mich. Hier, in meinen eigenen vier Wänden, mag ich es lieber unkompliziert ...«

Sie sanken auf eine Chaiselongue, Klimt schob ihren Morgenmantel hoch und öffnete eilig seinen Gürtel, er wollte keine Fragen mehr stellen, es war ihm einerlei, ob er betrogen wurde oder nicht, ob er die echte, die falsche oder eine ganz andere Cléo Lea in den Armen hielt, er wollte nur noch zurück zu der

Frau, die er seit Jahren malte und die ihn seit Paris nicht mehr losgelassen hatte. Wie besessen fiel er über sie her.

Tief atmete er ihren Duft ein, mit geschlossenen Augen, und er war wieder in Paris, im gelben Salon seiner Cléo Lea, die sich unter ihm wand und seine Bewegungen ungestüm erwiderte. Nichts Zärtliches oder Spielerisches lag in diesem Liebesakt, er nahm sie grob und schnell, als fürchte er, sie könne in jedem Moment wieder verschwunden sein, und wenig später lag er keuchend neben ihr, zitternd und bedeckt mit Schweiß.

Als er die Augen wieder aufschlug, sah er in einen großen, goldverzierten Spiegel, der gegenüber der Chaiselongue zwischen zwei Gemälden hing. Er richtete sich auf. Haargenau den gleichen Spiegel hatte er schon einmal gesehen, aber wo? Dann fiel es ihm ein – in Paris, im Palais des Grafen. Täuschte er sich, oder wurde der Spiegel transparent und zeigte die Gesichter einer anderen Cléo Lea? Und war da nicht auch ein zweites Gesicht? Er kniff angestrengt die Augen zusammen. Ja, es waren zwei Gesichter, die sich schemenhaft auf dem Spiegel abzeichneten, es waren Cléo Lea und ein älterer Herr. Wer aber war das? Etwa der Graf?

Die Dame lächelte. »Sie sehen wild aus, mein Lieber, wild und furchterregend. Aber man hat mir schon gesagt, dass Sie ein wenig – nun, verrückt sind.«

Sie stand auf, strich ihren Morgenmantel glatt und öffnete eine bis dahin unsichtbare Tapetentür, die zu einem Badezimmer führte.

»Es gibt ein zweites Badezimmer direkt gegenüber«, erklärte sie sachlich. »Sie können sich dort frisch machen, wenn Sie wollen, denn Sie wirken ein wenig derangiert, wenn ich mir die Bemerkung erlauben darf.«

Kokett warf sie ihm eine Kusshand zu und schloss die Tür hinter sich. Alles hatte sich so schnell ereignet, in wenigen Minuten nur, dass er schon fast wieder daran zweifelte, ob er wirklich gerade Cléo Lea umarmt hatte, oder ob es nur eine Phantasie seines überreizten Gemüts gewesen war.

Benommen ging er zur gegenüberliegenden Wand, fand einen winzigen, halb verdeckten Handknauf und betrat ein Badezimmer ganz aus weißem und schwarzem Marmor. Goldene Wasserhähne funkelten am Waschbecken und an allen vier Wänden hingen Spiegel.

Klimt ließ kaltes Wasser in das Waschbecken laufen und besprengte mit beiden Händen sein Gesicht. Dann betrachtete er sein Spiegelbild. Und plötzlich hatte er das Gefühl, dass auch hinter diesem Spiegel jemand verborgen war, statt des Grafen oder Cléo Lea jedoch meinte er jetzt den Botschaftssekretär zu erkennen, der ihm mit einem triumphierenden Blick zulächelte.

Hörte er da ein Frauenlachen? Ein Händeklatschen? Er trocknete sein Gesicht ab und kehrte in das Boudoir zurück. Cléo Lea aber blieb unsichtbar, und auch im Salon war niemand außer dem Diener, der ihn mit gleichgültiger Höflichkeit empfing.

»Ja bitte, Sie wünschen?«

»Ich suche Mademoiselle de Castro. Eben gerade war sie doch noch da«, stieß Klimt hervor.

Der Diener zog eine Augenbraue hoch. »Sie meinen Madame? Verzeihung, mein Herr, aber das ist ganz und gar unmöglich. Madame ist bereits heute Morgen in aller Frühe abgereist.«

Klimt sah ihn wütend an. Was war das nun wieder für ein Spiel?

»Sie erlauben sich einen bösen Scherz mit mir, Sie alle!«, schnaubte er.

Doch der Diener lächelte nur, verbeugte sich und ging.

»Halt, warten Sie!«, rief Klimt ihm hinterher, der Diener aber schloss wortlos die Tür hinter sich.

Verwirrt suchte Klimt den Salon ab, tastete nach anderen verborgenen Tapetentüren, schob die schweren Samtvorhänge beiseite und lief ein weiteres Mal in das Boudoir, aber alles blieb verwaist, und auch das Gepäck war nicht mehr da.

Dennoch war Cléo Lea auf rätselhafte Weise anwesend, er war nicht allein, das wusste er plötzlich, und seine Intuition sagte ihm, dass er in genau diesem Moment wieder beobachtet wurde. Misstrauisch näherte er sich dem großen Spiegel, der sich zu bewegen schien. Vorsichtig berührte er ihn, und der Spiegel gab nach unter seinen Händen, wie eine angelehnte Tür. Klimt drückte sich nun mit seinem ganzen Körper dagegen und stand unvermittelt in einem schwach erleuchteten Kabinett.

Erschrocken starrte er in das Halbdunkel. In der Mitte des kleinen Raumes saß ein älterer Herr in einem Rollstuhl, er wandte ihm den Rücken zu und betrachtete ein lebendes Bild, das vor ihm in einem Fenster aufgeführt wurde, ein Mann und eine Frau, die sich innig küssten. Klimt hatte sich kaum von seiner ersten Verblüffung erholt, als ihm klar wurde, dass das Paar sich hinter einem durchlässigen Spiegel befand und dass ihre Darbietung eigens für den einsamen Zuschauer arrangiert worden war.

Verwundert sah Klimt genauer hin. Was war das für eine eigentümliche Inszenierung? Und warum kam sie ihm so seltsam bekannt vor?

Zärtlich umschlang ein schwarzhaariger Mann eine elfenhafte junge Frau mit rötlichem Haar, das mit winzigen weißen und blauen Blumen geschmückt war, seine Hände umfassten ihr Gesicht, das zu träumen schien, mit geschlossenen Augen, und beide trugen sie steife, schwere Mäntel, deren goldener Stoff weich aufschimmerte. Jetzt wusste Klimt, warum er die Szene kannte. Er selbst hatte sie gemalt.

»Der Kuss«, flüsterte er, »das ist mein Bild ›Der Kuss‹. Aber wie …«

Mit unsicheren Schritten näherte sich Klimt dem älteren Herrn und blieb neben ihm stehen. Er schien halb gelähmt zu sein, seine rechte Körperhälfte hing schlaff herunter, auch sein zerfurchtes Gesicht war von einer halbseitigen Lähmung verzerrt, und seine Haut war fahl wie die eines Toten. Er sah aus, als sei er seit Jahren nicht mehr an der frischen Luft gewesen.

Ohne das geringste Anzeichen von Erstaunen hob der Mann seine knotige linke Hand und begrüßte seinen nächtlichen Gast.

»Guten Abend, werter Herr Klimt, nun haben Sie mich endlich doch noch gefunden«, sagte er in leicht überheblichem Tonfall.

Seine Augen waren wie erloschen, seine Stimme war die dünne, brechende Stimme eines Greises. Nur ein paar wenige schlohweiße Haarsträhnen bedeckten seinen Kopf, und er wirkte so hinfällig und gebrechlich, dass der nicht enden wollende Kuss vor ihm in seiner Sinnlichkeit und Lebendigkeit zutiefst absurd erschien.

»Graf Wolff Helenia, nehme ich an?«, fragte Klimt.

Der ältere Herr kicherte in sich hinein.

»Wissen Sie, es bereitet mir ein unendliches Vergnügen zu sehen, wie leicht die Menschen sich in meinen kleinen Fallen verfangen. Oder sollte ich sie besser teuflisch nennen? Aber was für Fallen das auch immer sein mögen – Sie, bester Klimt, sind mitten hineingetappt.«

Zufrieden lehnte er sich zurück und musterte den Eindringling von oben bis unten. Es schien ihm nicht im mindesten peinlich zu sein, dass er entdeckt worden war, stattdessen malte sich eine tiefe Genugtuung auf seinem entstellten Gesicht.

»Es war übrigens eine recht simple List, die ich für Sie erdacht habe. Für einen echten Frauenhelden, wie man doch wohl zu Recht behauptet, oder?«

Ein Hustenanfall unterbrach seine Erklärungen.

»Wer sind Sie?«, fragte Klimt noch einmal.

Der ältere Herr richtete sich mühsam auf in seinem Rollstuhl und zog ein Taschentuch hervor, mit dem er seine Lippen betupfte.

»Wohl wahr«, ächzte er. »Sie kennen mich nicht, aber dafür kenne ich Sie, sehr gut sogar. Womit ich sagen will, dass diese sogenannte Bekanntschaft sich auf das Vergnügen bezieht, Sie in überaus intimen Situationen beobachten zu dürfen. Verstehen Sie, was ich meine? Ach, ich sehe schon, dass Sie es nicht begreifen.«

»Wer sind Sie?«, insistierte Klimt.

»Wer ich bin?« Der ältere Herr lachte durchtrieben. »Ach, wenn Sie wüssten, wie oft mir schon diese lästige Frage gestellt wurde. Ich bin sogar versucht, sie eine dumme Frage zu nennen, wenn es nicht so unfreundlich klänge. Wie ich hörte, sind Sie ein ziemlich forscher Bursche, ein brutal forscher Bursche, um genau zu sein, was im Übrigen nicht gerade eine glückliche Eigenschaft ist. Also, kommen wir zurück zu Ihrer Frage: Wer bin ich? Um eine lange Geschichte kurz zu machen – lassen Sie mich einfach sagen: Ich bin ein Sammler.«

Er hob die Hand und deutete auf das sich küssende Paar. »Ein Sammler von Bildern, sehen Sie das nicht? Sogar Ihre Werke sammele ich. Aber auch Waffen und ganze Schlösser. Der Gebrechlichkeit meines Alters wegen beschränke ich mich jedoch seit einiger Zeit darauf, Cléo Leas zu sammeln – ach, das arme Ding!«

Klimt sah noch einmal zu dem Paar, das unbeweglich dastand, zu einer Pose gefroren, als seien sie wirklich nur gemalt. Kein Laut drang in das Kabinett.

Der Herr im Rollstuhl seufzte. »Und? Habe ich Ihre höchst zudringliche Frage erschöpfend beantwortet? Nicht dass ich andere der Indiskretion bezichtigen würde, wo ich doch selbst eine gewisse Schwäche dafür habe ...«

Klimt hörte seinen Ausführungen mit immer größerer Ungeduld zu, und nur ein letzter Rest von Höflichkeit hielt ihn davon ab, diesen unerträglich selbstgefälligen Herrn unsanft zu schütteln, bis er endlich die Wahrheit preisgab.

»Im Namen von Jesus Christus«, schrie er, »jetzt sagen Sie es endlich!«

Ohne mit der Wimper zu zucken, sah sein Gastgeber ihn an. »Ich bin jemand, der es gut mit Ihnen meint.«

Er legte die Hände an die Räder des Rollstuhls und bugsierte ihn mit geschickten Bewegungen in Klimts Richtung. Unter seinem seidenen Morgenmantel trug er ein weißes Hemd mit einer sorgfältig gebundenen Krawatte.

»Sie meinen es gut mit mir? Was hat das zu bedeuten?«, fragte Klimt.

Sein Gastgeber lächelte mokant. »Nichts. Es geschieht alles nur zu meinem Vergnügen.«

»Und wer ist Cléo Lea?«

»Ich sagte doch – sie ist ein armes Ding!«

Nun war Klimt sicher, dass er den Grafen vor sich hatte, Graf Wolff Helenia, Cléo Leas Gönner. Wieder sah er zu den Küssenden, die jetzt nicht mehr reglos dastanden, sondern einander langsam die goldenen Mäntel von den Schultern streiften, und er begann diesen Mann zu hassen, der wie eine Spinne in seinem Netz saß und nach seinem Belieben mit Menschen spielte, als seien sie nur dazu geschaffen, ihm einen angenehmen Zeitvertreib zu bescheren. Die Vorstellung, dass er seine Liebe zu Cléo Lea lediglich einer Laune des Grafen zu verdanken hatte, erfüllte Klimt plötzlich mit ohnmächtiger Wut.

»Wer ist Cléo Lea?«, wiederholte er.

»Ach, Cléo Lea, Cléo Lea«, ahmte der Graf unwillig Klimt nach. »Sie sind ein Dummkopf mit Ihren lächerlichen Gefühlen. Wer wäre nicht in sie verliebt? Jeder liebt sie, außer mir.

Sie werden es kaum glauben, aber ich war nicht im Mindesten empfänglich für ihre Reize. Sie weckte meine Phantasie, nicht mein Verlangen – können Sie mir folgen? Mit einem Wort: Cléo Lea ließ mich kalt, eiskalt. Kein Wunder, dass mein Desinteresse sie zur Weißglut brachte.«

»Wann geschah das alles? Wie alt ist Cléo Lea?«

Der Graf lachte amüsiert. »Sie stellen die falschen Fragen, mein Lieber. Cléo Lea ist alterslos. Sie existiert und sie existiert nicht. Und was Sie betrifft, so sind Sie einer Schimäre erlegen.«

Klimt spürte, dass ihm schwindelig wurde.

»Ich glaube, ich brauche einen Schluck Wasser«, stöhnte er.

Der Graf überging Klimts Bitte. In sich zusammengesunken saß er da und ließ seine Finger mechanisch über die polierten Räder des Rollstuhls gleiten.

»Cléo Lea hatte einen bedauernswerten Hang zur Übertreibung«, sagte er. »Es wurde mit der Zeit zur fixen Idee. Sie bedrängte mich immer wieder, sie belästigte mich geradezu, das verrückte Ding wollte einfach nicht aufgeben! Was also konnte ich anderes tun, als sie zu heiraten? Vielleicht sollte ich zu Ihrem besseren Verständnis hinzufügen, dass ich damals ein ziemlich gutaussehender Mann war. Doch, doch, ich war ein wahrer Apoll, wie man in jenen Tagen sagte – und auch Cléo Lea war betört von meiner imposanten Erscheinung.«

Klimt runzelte die Stirn. »Damals, sagten Sie? Wann geschah das alles?«

»Keine Ahnung«, antwortete der Graf gelangweilt. »Vor zwanzig, vielleicht auch dreißig Jahren …«

Der Maler überlegte verblüfft. »Es ist – zwanzig Jahre her, sagen Sie? Dann muss sie jetzt vierzig, fünfzig Jahre alt sein.«

»Mindestens, mein Lieber, mindestens!«

Verständnislos sah Klimt sein Gegenüber an. »Aber – sie

ist jung, ich habe sie doch gesehen, ich habe sie in den Armen gehalten, in Paris, und gerade eben!«

Graf Wolff Helenia streifte Klimt mit einem mitleidigen Blick. »Sie ist weder jung noch alt, guter Mann, sie ist – tot! Ermordet, in ihrem eigenen Bett. Es gab sogar böse Zungen, die behaupteten, ich sei ihr Mörder gewesen.« Er machte eine wegwerfende Handbewegung. »Nun, niemand konnte etwas beweisen, obwohl es mir nichts ausgemacht hätte, meine Tage in einer Gefängniszelle oder auf einer Galeere zu beschließen. Warum auch nicht? Aber das Schicksal hatte beschlossen, mir diese besondere Freude vorzuenthalten.«

Die Erkenntnis traf Klimt wie ein Schock. Cléo Lea, die wahre Cléo Lea war nichts weiter als eine Erinnerung, eine Phantasie. Ein Sehnsuchtsbild, das immer wieder neu erfunden wurde. Er sah seinen Gastgeber erwartungsvoll an, in der Hoffnung auf weitere Erklärungen, doch der alte Herr war in grübelndes Schweigen verfallen. Schließlich hob er den Kopf, mit einem träumerischen Ausdruck im Gesicht.

»Die hätten mich auch hängen können«, sagte er. »Oder mit dem Fallbeil hinrichten. Es hätte mir nicht das Geringste ausgemacht. Wahre Schönheit entsteht immer aus Zuckungen – Sie als Künstler wissen das nur zu gut. Auch der elektrische Stuhl wäre amüsant gewesen. Er ähnelt ohnehin dem Stuhl, in dem ich jetzt sitze. Na? Was möchten Sie trinken? Nichts, nehme ich an.«

»Doch, doch …«

Aber der Graf wandte sich ab und beobachtete wieder das Paar hinter dem Spiegel, das dem Höhepunkt eines Liebesakts zusteuerte. Das verzückte Gesicht der Frau war nur undeutlich zu erkennen, sie hatte die Augen geschlossen und ihre Hände umfassten leidenschaftlich den Kopf ihres Liebhabers.

»Eine hübsche Vorstellung, oder?«, murmelte der Graf. »Aber bald schon wird all das vorbei sein. Ich bin der Letzte meiner Art. Wir leben in banalen Zeiten, niemand hat mehr Phantasie, niemand kultiviert die verfeinerten Freuden der Liebe, die doch in Wahrheit nur auf Illusion beruhen.«

Die Frau hinter dem Spiegel drehte ihnen auf einmal den Kopf zu, als ob sie den Grafen hinter der glänzenden Fläche suchte, und in diesem Moment sah Klimt, dass es nicht die rothaarige Frau war, die sich dem Mann hingegeben hatte, sondern Cléo Lea. Seine Cléo Lea, die Tänzerin aus Paris, die Frau, die er liebte.

»Sie ist es!«, rief er aus. »Meine ...«

»Ihre Phantasie spielt Ihnen einen Streich, Sie Tölpel«, unterbrach ihn der Herr. »Sie sind nur ein mittelmäßiger Darsteller auf der Bühne Ihrer Leidenschaften. Wir haben genug gesehen.«

Er betätigte einen Klingelzug, ein leises Läuten erklang und das Paar löste sich auf der Stelle voneinander. Nackt, wie sie waren, verbeugten sie sich in Richtung des Spiegels, dann zogen sie sich zurück. Der Graf hatte sich währenddessen bereits einem anderen durchsichtigen Spiegel zugewandt, hinter dem es langsam hell wurde.

»Lassen Sie uns doch mal sehen, was die Wunder meines Kabinetts noch für uns bereithalten«, sagte er.

Klimt folgte seinem Blick und sah ein anderes Paar, das sich auf blutroten Laken liebte. Er fuhr zusammen, als ihm klar wurde, dass der Mann hinter der Scheibe dem Grafen verblüffend ähnelte. Gerade ließ er von seiner Geliebten ab und setzte eine Pistole an ihre Schläfe.

»Höchst unterhaltsam, oder?«, lachte der Graf. »Ich habe sogar ein Double für mich selbst gefunden, und es wirkt ziemlich echt, finden Sie nicht auch? Aber nehmen Sie sich in Acht. Möglicherweise bin ja ich das Double und er ist der echte Graf. Manchmal erkenne ich mich selbst nicht mehr ...«

Er fuhr sich mit der Hand über den fast kahlen Schädel.

»Denken Sie nur nicht, dass alles falsch ist. Sie, Herr Klimt, Sie sind in der Tat derjenige, für den Sie sich halten. Und das will heutzutage schon etwas heißen!«

Klimt spürte seine Kehle eng werden. Ein Schwindel erfasste ihn. Und war nicht alles Schwindel gewesen, von Anfang an? Auch er hatte ein Double, auch er hatte sich schon aufgespalten, auch er konnte nicht mehr sicher sein, dass vielleicht in diesem Moment sein Spiegelbild durch die Stadt spazierte, und diese Vorstellung quälte ihn, so wie die Erkenntnis, dass ihm Cléo Lea für immer entglitten war.

»Ein Glas Wasser«, röchelte er. »Ich brauche ein Glas Wasser! Schnell!«

Doch der Graf beachtete ihn nicht, denn nun flogen zwei Türen des Kabinetts gleichzeitig auf und auf den Türschwellen erschienen zwei Cléo Leas. Eine trug die rote Abendrobe, die andere den Morgenrock. Als sie einander erblickten, stürzten sie aufeinander zu und begannen erbittert zu rangeln. Aufgebracht schlugen sie mit ihren bloßen Fäusten aufeinander ein und rissen sich an den Haaren.

»Wie allerliebst«, lächelte der Graf, »die beiden Kätzchen sind eifersüchtig aufeinander!«

Fassungslos verfolgte Klimt den Auftritt.

»Wie viele von ihnen gibt es?«, fragte er mit heiserer Stimme.

Der Graf hielt eine Hand hoch und zählte stumm mit den Fingern.

»Zurzeit gibt es fünf«, erwiderte er. »Letzte Woche waren es noch sechs, aber eine hat uns zu meinem größten Bedauern verlassen. Ich glaube, es war eine Tänzerin, sie heiratete einen schwerreichen Verehrer. Tja, ich bin eben ein echter Glücksbringer.«

»Ich – ich brauche wirklich dringend ein Glas Wasser«, keuchte Klimt.

Wieder ging der Graf über seine Bitte hinweg. »Es gab sogar mal zehn Cléo Leas. Aber zehn ist die absolute Obergrenze – weil ich ein überzeugter Anhänger des Dezimalsystems bin. Ich nenne es die Universaltheorie der Verdoppelung. An erster Stelle kommt die perfekte Imitation, das Spiegelbild. Dann kommt die Imitation im Sinne der Parodie – welche stets eine gewisse Melancholie in sich trägt. Darauf folgt die Imitation als Karikatur, die zum Lachen reizt. Können Sie mir immer noch folgen?«

Er winkte der jungen Frau im Morgenmantel, die ihre Konkurrentin mit dem Ellenbogen wegstieß. Mit schnellen Bewegungen brachte sie ihr Haar in Ordnung, das sich im Kampf gelöst hatte.

»Cléo Lea, meine reizende Kleine«, sagte der Graf, »komm her und bring unserem Gast etwas zu trinken, er sieht angegriffen aus!«

Die junge Frau öffnete einen Wandschrank, goss aus einer Karaffe Wasser in ein Glas und reichte es Klimt. Mit letzter Kraft griff er danach, aber er war schon zu schwach, das Glas entglitt seiner Hand und rollte auf den Teppich. Nur mühsam hielt er sich noch auf den Beinen, die stickige Luft des Kabinetts schnürte ihm die Kehle zu.

Ungehalten schüttelte der Graf den Kopf. »Cléo, Liebes, sei so gut und begleite Herrn Klimt jetzt nach draußen. Er beginnt mich zu langweilen. Offen gestanden finde ich sein Double weitaus amüsanter.«

Die junge Frau legte eine Hand auf Klimts Arm.

»Hier entlang«, flüsterte sie und führte ihn hinaus.

»Herr Klimt«, rief der Graf ihm nach, »ich gehe selbstverständlich davon aus, dass Sie ein Ehrenmann sind und dass nichts, was Sie in diesem Raum gehört oder gesehen haben, jemals nach außen dringt – verstanden?«

»Ja, verstanden«, stöhnte Klimt.

Am Arm der jungen Frau stolperte er davon, durch die hell erleuchteten Salons, durch Bankettträume und Ballsäle, in denen niemand zu sehen war, obwohl doch das ganze Haus bevölkert schien von Dienern, Gespielinnen und willfährigen Darstellern des Grafen.

»Sie kommen mir so bekannt vor – kann es sein, dass wir kürzlich das Vergnügen miteinander hatten?«, fragte die junge Frau anzüglich, während sie ihn durch das Haus geleitete.

»Ich – ich weiß es nicht«, antwortete Klimt.

»Doch, doch«, sie warf ihm von der Seite einen Blick zu, »ich bin ganz sicher, einen Mann wie Sie vergisst man doch nicht.«

Er machte sich von ihr los und begann zu laufen, denn wenn ihm auch jeder Schritt schwer fiel, hatte er doch nur noch den einen Wunsch, so rasch wie möglich dem Bannkreis des Grafen zu entkommen. Er wollte weg, so schnell es ging, denn die Erkenntnis, dass er seine Cléo Lea vermutlich niemals wiederfinden würde, rieb ihn innerlich auf, und er fühlte sich zutiefst gedemütigt.

Schon erkannte er das Entrée mit seinen hohen Säulen und mit letzter Kraft riss er die schwere Tür aus Eichenholz auf. Doch statt auf der Freitreppe war er in einen Wintergarten geraten, einen weitläufigen, verglasten Raum voller exotischer Pflanzen, in dem ein Paar sich auf einem schmiedeeisernen Bett liebte. Das Mädchen war mit Stricken an das Bett gefesselt und der Mann kniete keuchend vor ihr.

»Warten Sie«, rief die junge Frau hinter ihm her. »Wir müssen die andere Tür nehmen, kommen Sie, Sie haben sich verirrt!«

»Ja, ich habe mich verirrt«, flüsterte Klimt. »Es war alles nur ein Irrtum.«

Die Cléo-Lea-Darstellerin nahm wieder seinen Arm, führte ihn hinaus und schloss die Tür des Wintergartens.

»Ach, mein armer Freund«, seufzte sie, »ich verstehe Sie. Aber auch wenn Sie dem Grafen jetzt grollen – Sie müssen ihm verzeihen. Tief in seinem Innern ist er nur ein kleiner, verspielter Junge. Nehmen Sie sich bloß nicht alles zu Herzen, was er sagt. Im Grunde ist er ein überaus gutartiger und großzügiger Mann.«

»Gutartig? Dass ich nicht lache«, widersprach Klimt heftig. »Er zwingt mich in die Knie. Er will mich vor ihm im Staub kriechen sehen! Er hat mich verletzt und gedemütigt, und das alles nur zu seinem Vergnügen.«

Sie legte ihm beschwichtigend einen Arm auf die Schulter.

»Aber nein, er ist nur etwas exzentrisch. Er hat nun mal einen ausgefallenen Lebensstil. Morgen fahren wir übrigens nach Venedig. Au revoir.«

Sie waren am Ausgang angelangt und Klimt taumelte die Stufen hinab, ohne sich zu verabschieden.

»Jetzt weiß ich es!«, rief sie ihm nach. »Wir sind einander tatsächlich schon einmal begegnet, doch, das waren Sie, es ist zwar eine Weile her, aber …«

Klimt drehte sich noch einmal um. »Ich erinnere mich nicht, aber wie sollte ich das auch.«

Cléo Lea, oder die Kopie von Cléo Lea, vielleicht aber auch die Parodie von Cléo Lea, stand oben auf dem Treppenabsatz, mit einer Hand hielt sie den Morgenrock über der Brust geschlossen, mit der anderen winkte sie ihm zu.

»Sie waren großartig«, rief sie und lachte.

SEIT TAGEN SCHLOSS KLIMT SICH EIN. Er hatte weder Midi gesehen, noch war er ins Kaffeehaus gegangen, die Begegnung mit dem Grafen hatte ihn so schwer getroffen, dass er sich verkroch wie ein angeschossenes Tier. Nur seine Modelle ließ er ins Atelier, den ganzen Tag und die ganze Nacht waren sie um ihn, aber dennoch konnten sie ihn nicht ablenken.

Immer wieder gingen ihm die Worte des Grafen durch den Kopf, immer wieder ließ er seine Liaison mit Cléo Lea Revue passieren, wie sie aus dem Blickwinkel des Grafen gewirkt haben musste. Und immer wieder musste er sich eingestehen, dass er einem teuflisch inszenierten Schwindel aufgesessen war, der dem Amüsement eines greisen Voyeurs gedient hatte.

Die Tür zum Garten stand weit offen, es war ein warmer Sommertag, seine Stirn war heiß und er fühlte sich fiebrig, seitdem er in jenem dumpfen Kabinett gewesen war. Die Katzen strichen um seine Beine und aus der Küche hörte er das Kichern von ein paar Mädchen, sonst war alles still.

Gerade trug er rote Farbe auf, als sich ein Schatten über die Leinwand legte. Er drehte sich um und entdeckte Serena Lederer, die auf ihn zutrat, in einem leichten, geblümten Sommerkleid, das Gesicht bedeckt von einem durchsichtigen hellen Schleier.

»Serena! Wie lange sind Sie schon hier?«

»Ehrlich gesagt, habe ich Sie schon eine ganze Weile beobachtet«, gestand sie und schlug den Schleier zurück.

Ihre dunklen Augen fixierten ihn durchdringend unter den starken schwarzen Augenbrauen, das nachtschwarze Haar war zu einem lockeren Knoten gebunden, und Klimt fiel ihr Porträt ein, das er begonnen hatte, ein Bild, auf dem ihr Kopf wie eine zarte, dunkle Wolke über einem weißen Feenkleid schwebte.

»Die Gartentür stand offen«, erklärte sie. »Ich musste mich regelrecht bei Ihnen einschleichen, weil Sie ja offiziell keinen Besuch empfangen, Sie Einsiedler. Wie auch immer – ich werde Sie nicht lange stören. Nur ein, zwei Minuten.«

Klimt legte seinen Pinsel beiseite. »Kommen Sie wegen des Porträts? Leider habe ich seit unserer letzten Sitzung noch nicht viel daran arbeiten können …«

Serena legte ihm vertraulich eine Hand auf den Arm. »Keine Sorge, deswegen ist es nicht. Ich habe bei meinem letzten Besuch zufällig etwas entdeckt, was mir seither keine Ruhe mehr gelassen hat. Es stört Sie doch nicht, wenn ich es Ihnen zeige?«

Sie schlenderte zur gegenüberliegenden Wand, an der mehrere Bilder lehnten, und begann, in dem Bilderstapel zu stöbern.

»Na also, da ist es ja!«

Mit sicherem Griff zog sie ein Gemälde heraus, das fast vollendet war, nur wenige Passagen wirkten noch roh und unfertig. Es war das Porträt von Cléo Lea, das Klimt seit dem unheilvollen Abend im Palais des Grafen nicht mehr angerührt hatte.

Serena stellte das Bild ans Fenster und betrachtete es neugierig.

»Wer ist sie?«, fragte sie nach einer Weile.

»Ein Exemplar jener naiven und lüsternen Rasse der Hypersensiblen, die ich bevorzugt male«, sagte Klimt sarkastisch.

»Nein, ich meine, wer ist sie wirklich? Ein Modell? Eine

Dame der Gesellschaft? Oder eine Kokotte?« Serena Lederer horchte zur Küche hin, aus der lachende Frauenstimmen herüberklangen.

»Sie wissen sehr genau, wer sie ist«, erwiderte Klimt heftig. »Was soll dieses Rätselraten?«

Serena ließ sich durch seinen barschen Tonfall nicht einschüchtern. »Sind Sie sicher? Ich kann mich nicht erinnern, ihre Bekanntschaft gemacht zu haben.«

»Ach, nein?« Der Maler verschränkte abweisend die Arme. »Dennoch wissen Sie, um wen es sich handelt. Nennen wir es eine Eingebung.«

Serena lächelte ertappt. »Also gut – ja, ich weiß tatsächlich, wer sie ist. Es muss diese geheimnisvolle Cléo Lea sein.«

Noch einmal betrachtete sie eingehend jedes Detail, als wollte sie sich das Bild genau einprägen, dann zog sie wieder den Schleier vor das Gesicht. »Ich habe genug gesehen, auf ein andermal, bester Klimt.«

»Was, Sie gehen schon wieder? Sie sind doch gerade erst gekommen.«

Drei nackte Mädchen traten aus der Küche ins Atelier, aufreizend setzten sie sich auf eine abgewetzte Couch und beäugten neugierig den eleganten Besuch.

»Ja, ich lasse Sie allein mit Ihren Modellen«, seufzte Serena und sah verstohlen zu den Mädchen hinüber, die sich ungeniert auf den Polstern ausstreckten. Dann flüsterte sie: »Sie sind so schrecklich nackt.«

Klimt lachte. »Ja, das kommt manchmal vor.«

Etwas gezwungen wandte sich Serena den Mädchen zu. Man sah ihr an, dass sie gleichermaßen fasziniert wie abgestoßen war von der Selbstverständlichkeit, mit der die Modelle das Atelier bevölkerten wie die Katzen.

»Frohes Schaffen, die Damen.«

»Danke!«, erscholl es unisono zurück.

Unschlüssig nestelte Serena an ihrem Schleier, dann kehrte sie noch einmal zu Klimt an die Staffelei zurück.

»Bis morgen dann«, sagte sie.

»Wieso morgen? Sind wir verabredet?«, fragte Klimt.

Sie drohte ihm entrüstet mit dem Finger. »Jetzt sagen Sie bloß nicht, dass Sie es vergessen haben. Sie sind morgen bei uns zum Essen eingeladen! Und schon jetzt darf ich Ihnen verraten, dass August Ihnen etwas sehr Interessantes vorschlagen wird.«

Klimt nickte zerstreut. »Etwas Interessantes, hm, das klingt vielversprechend. Also, dann bis morgen.«

»Amüsieren Sie sich«, bemerkte Serena kühl und warf den nackten Mädchen einen Blick zu.

»Sie sind doch nicht zufällig eifersüchtig?«, fragte Klimt belustigt.

»Ich?« Serena sah zu Boden. »Aber nein, nicht mehr als mein Mann.«

Als sie ging, stieß sie fast mit einem jungen Mann zusammen, der sich schüchtern in das Atelier drückte. Unsicher ging er ein paar Schritte auf Klimt zu und blieb dann in einigem Abstand stehen. »Entschuldigen Sie die Störung, aber ich habe Ihre Bilder gesehen und …«

»Ja?«

Klimt sah ihn forschend an. Der Junge mochte kaum älter als siebzehn sein, hoch stand eine schwarze Haartolle über dem bleichen Gesicht.

Er trug einen zu engen Anzug und sein gelblicher Hemdkragen war schon recht verschlissen.

»Ich bin selbst Maler und ich wollte den berühmten Herrn Klimt kennen lernen«, brachte er mühsam heraus.

»Berühmt, ja, und verfemt«, antwortete Klimt. »Verzeihung, aber ich habe zu tun.«

»Machen Sie sich nichts draus«, sagte der junge Mann. »Sie

zeigen den Spießern ein Spiegelbild, das sie nicht sehen wollen. Sie fürchten es wie der Teufel das Weihwasser. Sie ertragen die Hässlichkeit nicht, die doch so viel Schönheit in sich trägt. Aber Sie sollen wissen, dass Sie wenigstens in mir einen Bewunderer haben.«

»Danke«, murmelte Klimt. »Wer sind Sie?«

»Schiele, Egon Schiele«, flüsterte der junge Maler.

Seine Schüchternheit und sein zurückhaltender Ton rührten Klimt.

»Noch bin ich an der Akademie«, erklärte Schiele. »Aber ich werde nicht mehr lange dort bleiben. Darf ich Ihnen vielleicht demnächst einmal meine Bilder zeigen? Manche nennen sie pornographisch, dabei male ich nur das, was ich auch in der Natur, den Bergen, dem Wasser und den Blumen sehe, eine gleichsam körperliche Bewegung – kann man denn nicht auch in den Pflanzen ähnliche Freuden und Leiden erkennen wie in den Menschen?«

»Sicher … ja, natürlich«, erwiderte Klimt. »Auch ich studiere immer wieder die Blumen. Sie sind der Schlüssel, die Blumen …«

Das Porträt von Cléo Lea stand noch immer am Fenster und er deutete mit dem Pinsel darauf.

»Blumen«, flüsterte er, »Blumen für Cléo Lea.«

»Malen Sie mir auch welche?«, fragte eines der Mädchen mit schmeichelnder Stimme.

»Raus!«, schrie Klimt unvermittelt auf. »Alle raus jetzt! Lasst mich allein!«

Erschrocken standen die Mädchen auf und liefen in die Küche. Der junge Maler aber war bereits verschwunden.

——— * ———

LIKÖR, DIE DAMEN?«

August Lederer winkte einen Diener heran, der auf einem Tablett einige Flaschen mit buntfarbigen Flüssigkeiten herantrug.

»Gern einen Pfefferminzlikör«, erwiderte Midi und drückte Klimts Arm. »Der passt zu meinen Augen, sagt Gustav immer.«

Sie saßen im Rauchzimmer, etwas träge nach einem vielgängigen Diner, und hatten es sich auf den weißen Ledercouches bequem gemacht. Die Lederers bewohnten eine große, weitläufige Villa im feinsten Bezirk, ganz im neuen, luftig hellen Stil eingerichtet, mit weißen Schleiflackwänden und cremefarbenen Möbeln, sodass viele Besucher wie geblendet dastanden, weil sie die dunklen, überladenen Interieurs der Jahrhundertwende gewohnt waren.

Außer Klimt und Midi hatten die Lederers zwei englische Freunde eingeladen, die endlich den großen Klimt kennen lernen wollten, von dem Serena so viel sprach.

»Also gut, die Farbe Grün für unsere verehrte Midi«, sagte August Lederer. »Und, Klimt, welche Farbe möchten Sie?«

»Schwarz«, antwortete der Maler.

»Ah, ich sehe schon, das wird eine hochinteressante Farbkomposition«, bemerkte der Gastgeber. »Benoit, einen extra bitteren Kräuterlikör, und Gläser, bitte.«

»Für mich einen Darjeeling«, bat die englische Dame. »Ich nehme mich lieber in Acht vor starken Alkoholika. Aber Ihr Österreicher seid so etwas ja gewöhnt.«

August Lederer paffte genüsslich eine Zigarre. Noch hatte er nicht eröffnet, welch geheimnisvollen Vorschlag er Klimt machen wollte, und er schien es zu genießen, den Anlass dieser Einladung feierlich hinauszuzögern. Unruhig saß Klimt auf der Couch und wartete auf die Verkündung der Neuigkeiten. Seitdem August Lederer die Allegorie gekauft hatte, war er zu Klimts wichtigstem Förderer geworden.

Der Diener kehrte zurück und servierte die Liköre. Midi prostete Klimt zu, mit einem übermütigen Ausdruck in den Augen. Offenbar war sie eingeweiht in das große Geheimnis.

»Nun«, begann Lederer endlich, »sicherlich sind Sie schon neugierig, was ich Ihnen vorschlagen werde. Um ehrlich zu sein war es Serenas Idee – mein Part beschränkt sich auf die Durchführung. Also. Ich habe einen sehr guten Freund, Marcusson heißt er und ist ein außerordentlich vermögender und kultivierter Herr, auch wenn er auf einige Zeitgenossen möglicherweise ein wenig exzentrisch oder fremdartig wirken mag. Stellen Sie sich vor: Dieser Freund ist doch tatsächlich in so eine kleine Tänzerin vernarrt. Und nicht nur das, er hat sie sogar geheiratet! Ja, werte Freunde, Sie haben richtig gehört – nicht nur bei Schriftstellern wie Wedekind heiraten Tänzerinnen Millionäre.«

Unter Klimts rechtem Auge zuckte es. War das möglich? Sprach dieser Lederer etwa von Cléo Lea? Und hatte der Graf nicht erzählt, dass eine seiner Cléo Leas reich geheiratet hatte? Nein, beschloss er, solch ein Zufall war ganz und gar unwahrscheinlich.

In diesem Moment kam Serena in den Rauchsalon, in den Händen eine Silberplatte mit Petits Fours. Aufgeregt setzte sie sich zu ihrem Mann.

»Und?«, fragte sie. »Ist er einverstanden?«

»Nicht so schnell«, gab ihr Mann unwillig zurück. »Noch kennt er nicht die ganze Geschichte.«

»Sagen Sie ja!«, beschwor Serena Klimt und wandte sich dann wieder an ihren Mann. »August, es muss sein, es ist eine so schrecklich gute Idee! Stell dir bloß vor, dass unser Freund ein hocherotisches Porträt seiner Angebeteten im Salon hängen hat, für jedermann sichtbar und gemalt von einem alten Verehrer seiner Frau!«

Der Maler erstarrte. Feine Schweißperlen erschienen auf seiner Stirn. Serena hatte so leichthin gesprochen, als handelte es sich um einen gelungenen Scherz, doch als er begriff, was sie soeben vorgeschlagen hatte, durchlief ihn ein Zittern. Keine Frage, es ging tatsächlich um Cléo Lea, und alle außer ihm schienen Bescheid zu wissen. Wie vor den Kopf geschlagen saß er da und bemühte sich, seine Fassung zu bewahren.

»Serena, wie kannst du nur so indiskret sein!«, sagte August Lederer vorwurfsvoll. »Ich sehe unserem geschätzten Freund doch an, dass ihn die Idee nicht gerade begeistert.«

»Was?« Serena drehte sich mit roten Wangen Klimt zu. »Heißt das etwa, Sie verkaufen das Bild nicht?«

»Genauso ist es«, entgegnete Klimt, der sich wieder einigermaßen gefangen hatte. Ruhig schlug er die Beine übereinander.

»Aber warum nicht?«, fragte Serena verständnislos.

»Es ist noch nicht fertig.«

Serena verdrehte entnervt die Augen. »Bester Klimt, wenn es danach geht, ist keines Ihrer Gemälde vollendet.«

»Genauso ist es«, wiederholte er schlicht.

Alle spürten, dass die Diskussion damit für ihn beendet war. Midi sah betreten in ihr Likörglas, dann wechselte sie einen kurzen Blick mit Serena.

August Lederer blies eine Rauchwolke in die Luft. »Nun, da kann man nichts machen – es ist Ihr Bild, bester Klimt, und Sie müssen entscheiden, was damit geschehen soll. Aber falls Sie ihre Meinung ändern, können wir jederzeit darüber reden.«

Er wandte sich an die anderen Gäste. »Und nun, liebe Freunde, was haltet ihr von einer Führung durch mein ganz persönliches Klimt-Museum?«

Er erhob sich und ging voran in einen Raum, der die Ausmaße eines Museumssaals hatte. Kein Möbelstück war darin zu sehen, nur hohe Marmorsäulen schmückten ihn, und die Wände waren bedeckt mit Gemälden, die allesamt von Klimt stammten.

Serena schaute sich unruhig um.

»Wo ist er?«, fragte sie ihren Mann. »Ist Klimt etwa schon gegangen?«

»Sicherlich«, erwiderte er verstimmt. »So macht er es doch immer. Und heute hast du dir ja überdies alle Mühe gegeben, ihn gründlich zu vertreiben.«

Klimt jedoch war nicht gegangen, er hatte sich mit seiner Freundin in das Musikzimmer zurückgezogen. Midi lehnte an einem weißen Flügel, auf dem die Noten einer Beethovensonate aufgeschlagen waren, während Klimt sich erschöpft auf eine Couch gelegt hatte. Sie sprachen keinen Ton.

Liebeskomplizen waren wir immer, dachte der Maler, doch dies ist das erste Mal, dass uns ein Liebesverrat verbindet. Midi ist zum ersten Mal wirklich eifersüchtig, und sie ist fest entschlossen, Cléo Lea restlos aus meinem Leben zu entfernen. Nicht einmal ihr Bild darf mehr in meiner Nähe sein, nicht einmal das erträgt sie.

Befangen blätterte Midi in den Noten. Ihr war unbehaglich zumute, denn Serena hatte in ihrer Ungeduld und ihrem Übereifer allen offenbart, dass es sich um eine Verschwörung der Frauen handelte, die sie heute Abend zusammengeführt hatte, eine Verschwörung, die gründlich misslungen war. Sie schlug ein paar Tasten an, dann klappte sie die Noten zu und hockte sich neben Klimt auf die Couch.

»Bist du noch böse auf mich?«, fragte sie leise.

»Ich hatte einen seltsamen Traum«, erwiderte Klimt. »Ich träumte, ich sei tot – tot und lebendig zugleich, ich dümpelte in einem Schwimmbassin herum und ringsum standen verwundete Soldaten. Sie hatten alle amputierte Beine und sangen.«

Midi wich entsetzt zurück. »Sie waren verwundet und sangen?«

»Ja. Und du warst auch da – du schwammst nackt in dem Bassin. Das heißt, es war kein Bassin, eigentlich war es – der Attersee.«

»Bist du verrückt? Ich schwamm nackt im Attersee?«

Midi stopfte sich ein Kissen in den Rücken und drehte nervös eine Locke um ihren Finger. Sie waren nicht allein. Cléo Lea war da, sie ließ sich nicht vertreiben, genauso wenig wie ihr Porträt. Lächelnd stand sie vor ihnen und sah ihnen zu.

»Ganz genau«, sagte Klimt. »Es schneite blaue Schneeflocken.«

Eine Weile schwiegen sie. Von ferne hörten sie die Stimme August Lederers, der seinen Gästen stolz die Bilder erklärte.

»Ich habe auch geträumt, von dir«, erklärte Midi schließlich. »Stell dir vor – in dem Traum war ich mit einem alten Musiker verheiratet.«

»Alt und reich, nehme ich mal an«, lachte Klimt trocken auf.

»Nein, nicht reich«, widersprach Midi. »Er war ein pensionierter Kaffeehauskellner. Alle nannten ihn den ›Professor‹, und er war ziemlich schrullig, um es vorsichtig zu sagen. Abend für Abend sperrte er mich ins Schlafzimmer ein und dann brachte er mir jede Nacht einen anderen Mann. Ja, genauso war es, jede Nacht gab ich mich einem anderen, völlig fremden Mann hin. Seltsamerweise starben sie danach.«

»Sie wurden ermordet, könnte ich mir vorstellen«, sinnierte Klimt vor sich hin.

»Das weiß ich nicht so genau, sie starben jedenfalls unter rätselhaften Umständen. Komischerweise warst du einer dieser Männer.«

»Na, ich hoffe doch, dass ich nicht auch starb«, erwiderte Klimt, zwischen Belustigung und Grauen schwankend.

Der Traum der Cléo-Lea-Darstellerin fiel ihm ein, der Traum von den zwei Seeschlangen, und es fröstelte ihn.

»Wie gesagt, es war alles ziemlich merkwürdig«, antwortete Midi ausweichend.

Klimt richtete sich auf. »Lass uns zu den anderen gehen«, schlug er vor. »Sonst verlieren wir uns noch in unseren Träumen.«

»Ist das nicht schon geschehen?«, fragte Midi und folgte ihm durch den Rauchsalon in den Gemäldesaal, wo August Lederer gerade die »Allegorie der Philosophie« erläuterte.

»Ach, fast hätte ich es vergessen«, wisperte Klimt ihr zu, »in meinem Traum liebte ich auch eine fremde Frau. Erst am Ende erkannte ich, dass du es warst ...«

Midi erschauerte. »Ich? Du meinst ...«

Aber Serena zog sie von Klimt weg und sprach erregt auf sie ein.

»Das ist ja ganz schön schief gegangen. Und?«, fragte sie forschend. »Hat er es sich anders überlegt?«

»Ach, du weißt doch, wenn Klimt nein sagt, bleibt es dabei«, seufzte Midi.

Die beiden drehten sich zu der englischen Dame um, die soeben in Entzückensschreie ausgebrochen war.

»Oh, das ist einfach phantastisch!«, rief sie. »August, Sie haben ja wahre Schätze hier!«

»Sehr, sehr beeindruckend«, pflichtete ihr Mann ihr bei.

»Es ist eine ganze Welt!«, sagte die Dame ehrfurchtsvoll.

Serena Lederer zwinkerte Midi zu.

»Und was für eine Welt sehen Sie?«, fragte sie die begeisterte

Dame. »Eine sterbende Welt oder eine, die soeben erschaffen wurde?«

August Lederer sah sich suchend um.

»Wo ist dieser Klimt jetzt hin?«, fragte er indigniert. »Erst ist er weg, dann ist er da, und nun ist er schon wieder verschwunden.«

Serena zuckte mit den Schultern. »Nun ist er wirklich gegangen, schätze ich.«

»Einfach so? Na ja. Manieren hatte er noch nie«, brummelte August Lederer. »Sei's drum, er soll ja auch nicht auf den Debütantenball gehen, sondern malen. Was jedenfalls das Bild der Tänzerin betrifft, so wirkte er auf mich letztlich unentschlossen. Er hat die Sache nicht rundheraus abgelehnt, auch wenn er es heute noch nicht verkaufen wollte.«

Serena zog ihre Nase kraus. »Ach, meinst du wirklich?«

Ihr Mann nickte dem englischen Ehepaar zu, das immer noch andächtig vor der »Allegorie der Philosophie« stand, dann senkte er die Stimme.

»Ich sage dir etwas anderes«, raunte er. »Ich habe unseren Freund Marcusson im Verdacht, dass er einen Anschlag auf das Porträt plant. Warum sonst sollte er es kaufen wollen? Glaubst du wirklich, er würde seine eigene Frau über den Kamin hängen, als leichtlebige Konkubine kostümiert? Als billige kleine Tänzerin?«

»Was? Wäre er dazu fähig?«, entsetzte sich die englische Dame, die sich unbemerkt zu ihnen gesellt hatte.

»Das kann ich mir nicht vorstellen«, wiegelte Serena ab.

»Das solltest du aber«, wies ihr Mann sie scharf zurecht. »Ehrlich gesagt war es ohnehin eine äußerst geschmacklose Idee für ein Geschenk.«

»Aber Marcusson selbst war es doch, der den Vorschlag gemacht hat«, gab Serena zu bedenken.

»Ganz genau! Und das ergibt auch einen Sinn: Gestern erzählte mir jemand, dass er alle Porträts von dieser Cléo Lea aufgekauft hätte – um sie zu zerstören!«

»Aber, aber – das ist ein Verbrechen!«, entfuhr es Serena.

»Ein Verbrechen? Es ist eine Riesendummheit«, verbesserte die englische Dame.

»Meine Damen, Sie haben beide Recht!«, sagte August Lederer lapidar.

»Aber wenn du das weißt – würdest du trotzdem zulassen, dass er Klimts Bild kauft?«, fragte Serena wütend.

»Es ist das einzige, das ihm noch fehlt«, erwiderte ihr Mann ungerührt. »Aber das sind alles nur Gerüchte. Wie ich Marcusson kenne, ist es wahrscheinlicher, dass er all diese erotischen Bilder aufkauft, damit er sie ganz allein betrachten und genießen kann.«

Die englische Lady hatte inzwischen einen weiteren Rundgang durch die Gemäldegalerie angetreten und war vor einem Blumenbild stehen geblieben.

»Meiner Meinung nach sollte Klimt ausschließlich Landschaften malen«, rief sie. »Sehen Sie doch, diese Blumen sind einfach anbetungswürdig.«

EIN GEWITTER ZOG AUF über dem See, dunkel türmten sich die Wolken darüber und erste Regentropfen fielen. Doch Klimt achtete nicht darauf. Er hatte seine Staffelei unter einen Baum gestellt und malte mit hastigen Bewegungen, viele kleine Pinselstriche setzte er auf die Leinwand und verteilte buntfarbige Lichter auf dem düsteren Untergrund, gelb, blau, grün und violett. Wie ein Muster legten sich die aufleuchtenden Farben über das Gemalte, ließen Wolken, Berge und Wälder unter einem irisierenden Schleier vibrieren.

Als ein Blitz über den Himmel zuckte, hielt er inne. Rasch nahm er das Bild und wickelte es in ein Tuch. Dann bedeckte er die Staffelei mit Laub und Zweigen und rannte los. Der Regen wurde heftiger, schon war sein Kittel völlig durchnässt, und als er endlich am Haus ankam, zog er ihn über den Kopf, warf ihn zu Boden und lief, nackt und nass wie er war, in die kleine Küche. Sein kräftiger Körper wirkte noch muskulöser als sonst, in den letzten Wochen war er täglich geschwommen und auf den See hinausgerudert.

»Midi? Hast du die Wolken gesehen?«

»Großer Gott, Gustav, wo warst du, ich habe mir schon Sorgen um dich gemacht«, rief Midi aus. »Hast du etwa bei diesem Wetter gemalt?«

»Ich war bei der großen Pappel, du hättest wirklich die Wolken sehen sollen, es war grandios! Wenn der Regen vorbei ist, gehe ich noch einmal hin.«

Seine Freundin reichte ihm eine Tasse Tee. »Trink das. Und

dann zieh dir erst mal etwas über, du holst dir noch den Tod«, sagte sie streng.

Er stellte das Bild ab, nahm einen Schluck Tee und warf sich den Morgenrock über, den Midi ihm hinhielt. Wie so oft in den Sommermonaten waren sie hinaus ins Salzkammergut gefahren, an den Attersee, wo Midi mit ihren Schwestern ein kleines Sommerhaus gekauft hatte, und seit Tagen malte Klimt ohne Unterbrechung. Morgens um sechs stand er auf und zog mit einem Pappdeckel, in den er ein Loch geschnitten hatte, schon vor dem Frühstück los, um auf Motivsuche zu gehen.

»Komisch, deine Landschaften sind immer so schwermütig«, seufzte Midi und trat zu einem Bild an der Wand. Es zeigte einen Buchenwald, grau reckten sich die schlanken Stämme in den Himmel, der Waldboden war bedeckt mit braungrauem Laub, und die geraden Linien der Baumstämme verstellten den Blick, als seien sie ein Gitter, das den Weg versperrte.

»Ach, du weißt doch, das habe ich gemalt, als der Streit um die Allegorien auf dem Höhepunkt war. Das liegt jetzt hinter mir. Von nun an werde ich Blumen malen, Arme voller Blumen, ganze Wiesen voller Blumen. Weißt du was? Ich habe heute eine Mohnwiese entdeckt, du wirst schon sehen.«

Er sah aus dem Fenster, der Regen rann an den Scheiben herunter und dahinter verschwamm die Landschaft zu einem grauen Aquarell. »Die englische Freundin der Lederers wird begeistert sein, wenn du Blumen malst«, lächelte Midi. »Oder sammelst du immer noch welche für deine Cléo Lea?«

Klimt antwortete nicht. Das stickige Kabinett des Grafen war weit weg, und er war froh, nicht in Wien zu sein, in seinem Atelier, wo immer noch Cléo Leas Porträt stand, unvollendet und doch beunruhigend lebendig. Er hatte wie selten sonst die Sommerferien herbeigesehnt, die frische Luft, die Sonne und die Landschaft, und er wollte nicht nur die Erinnerung an Cléo Lea verdrängen, auch körperlich wollte er gesunden.

Immer häufiger fühlte er sich schwach und schwindelig, und einige kleine Geschwülste an seinem Körper beunruhigten ihn. Mit Midi sprach er nicht darüber. Er war seit einigen Jahren mit jener Krankheit vertraut, die man verschämt die »Franzosenkrankheit« nannte, und Midi war die Letzte, mit der er darüber reden wollte.

Er nahm einen Block und zeichnete die vom Fenster gerahmte Landschaft, mit ein paar Strichen hatte er die Linien der Berge skizziert, und wieder kamen ihm die Bilder der Chinesen in den Sinn, die ihre Kunst der Andeutung so meisterlich geschult hatten.

»Rot«, murmelte er, »die ganze Wiese hat genau jenes Rot, nach dem ich gesucht habe, aber ich werde sie für keine Lady malen, nur für mich, verlass dich drauf.«

Midi nahm einen Stuhl, rückte ihn neben den Maler ans Fenster und schmiegte sich an ihn. Sie trug eines ihrer Reformkleider, ein loses, schwarzweiß gestreiftes Gewand.

»Wenn wir doch immer hier sein könnten«, sagte sie leise. »Du bist so anders hier, stark wie ein Baum, du gehst früh zu Bett und stehst früh auf, ganz anders als in Wien, wo du die halbe Nacht im Kaffeehaus verbringst oder mit deinen Modellen im Atelier hockst.«

»Ach, mein dummes, liebes Midelinchen«, flüsterte er. »Ja, es wäre schön, aber wir gehören nicht wirklich hierher, das weißt du.«

»Nein, aber …«

»Außerdem – wenn ich an die angefangenen Bilder im Atelier denke, graust es mich. Bevor ich aufbrach, habe ich einen regelrechten Ansturm auf ein Porträt unternommen, das unbedingt fertig werden musste. Dabei mangelte es mir nicht so sehr an Zeit, es war schlicht nicht gelungen. Na, sei's drum, ich habe es dennoch einfach abholen lassen.«

Midi sah auf seinen Skizzenblock. »Ganz gleich, was du

malst, ich kann immer deine Stimmung darin ablesen, als ob es Seelenlandschaften wären.«

Er lachte trocken auf. »Seelenlandschaften? Du klingst ja schon so, als hättest du den Doktor Freud konsultiert.«

Sie verschränkte die Arme vor der Brust und blickte aus dem Fenster.

Noch immer regnete es in Strömen, Blitze zuckten auf und der Donner brach sich krachend an den hohen Felswänden, die den See umstellten.

»War es nicht dieser Schiele, der gesagt hat, auch in den Bergen und Pflanzen seien die Leiden und Freuden des Menschen sichtbar?«, fragte sie nach einer Weile. »Ich finde seine Bilder eher erschreckend. Eines Tages wird man ihn noch verhaften – das jedenfalls ist dir bis jetzt erspart geblieben.«

»Diese jungen Maler wie Schiele und Kokoschka, das ist die Zukunft, Midi«, erwiderte er, ohne den Blick von seiner Zeichnung zu lösen. »Und ich werde alles tun, um sie zu unterstützen.«

Der Wind fegte ein paar abgerissene Blätter an die Fensterscheibe und Midi fuhr zusammen.

»Du willst doch nicht wirklich noch einmal da raus?«, fragte sie. »Sieh doch, ein wahrer Weltuntergang spielt sich dort ab.«

»Und wie soll ich ein aufsteigendes Gewitter malen, wenn morgen früh die Sonne scheint?«, gab er zurück.

Midi stand auf und ging zum Herd, auf dem eine Suppe dampfte.

»Hast du Hunger? So gut wie die Eintöpfe deiner Mutter ist das hier natürlich nicht. Apropos – hat sie noch immer diese grässlichen Anfälle?«

»Sie verfällt«, erwiderte der Maler. »Ihre nervösen Störungen ängstigen mich. Und Hermine ist mittlerweile schon genauso hysterisch wie sie.«

Gedankenverloren rührte Midi in der Suppe. »Ach, Gustl,

du müsstest da raus, sie tun dir nicht gut, die beiden. Warum nimmst du dir nicht endlich eine eigene Wohnung? Du bist doch auch sonst Manns genug, dein Leben in die Hand zu nehmen und …«

»Lass es gut sein«, unterbrach Klimt sie. »Weißt du was? Ich werde ein Motorboot kaufen. Damit brausen wir dann über den See, vielleicht schon nächsten Sommer.«

Kopfschüttelnd sah Midi ihn an. »Gustl, Gustl, jetzt lenk nicht ab. Ich weiß doch, deine Mutter ist eine Heilige für dich. Aber deshalb musst du nicht gleich ein Leben lang bei ihr wohnen.«

»Eine Heilige?« Belustigt sah er von seiner Zeichnung auf. »Du glaubst gar nicht, wie sie mich kritisiert! Stell dir vor, ich habe kurz vor meiner Abreise dein Porträt verschachert, aber vorher hat sie es noch begutachtet und gesagt, ich solle schleunigst ein neues malen!«

Midi setzte sich wieder zu ihm ans Fenster und legte ihren Kopf an seine Schulter. »Ich habe es auch nie gemocht«, erwiderte sie. »Wer hat es denn gekauft?«

»Das Historische Museum«, antwortete Klimt. »Jetzt ist meine kleine Midessa eine Heldin der österreichischen Geschichte. Na, bist du wenigstens ein klein bisschen stolz?«

Er legte seinen Skizzenblock beiseite und umarmte sie.

»Eine Heldin zu sein ist manchmal mehr, als ich ertragen kann«, flüsterte sie, bevor sie ihn küsste.

Es war Winter geworden. Der Morgen war kühl, ein grauer Himmel senkte sich schwer auf die Stadt, und Klimt hauchte in seine steifgefrorenen Hände, als er das städtische Hospital betrat und den Portier flüchtig grüßte. Er musste nicht nach dem Weg fragen, er kannte ihn bereits, viele Male schon war er diese Korridore entlanggeschritten, vorbei an hinfälligen Patienten, die sich in weißen Anstaltshemden durch die Gänge schleppten, vorbei an Ständern mit Infusionsflaschen und Abfalleimern voller blutiger Verbände. Der Erste Weltkrieg war ausgebrochen, und immer häufiger waren es Verwundete von der Front, die hier eintrafen, verstümmelte und entstellte Soldaten, deren Schreie über die Flure gellten.

Gerade wurde ein lebloser Mann auf einer Bahre vorbeigetragen, der ganz unter Bandagen verborgen war.

Klimt sah ihm schaudernd nach, dann ging er weiter bis zu einem kleinen weißen Schild im ersten Stock, auf dem in schwarzer Schrift »Prof. Stein« stand. Es war schon einige Jahre her, seit er ihn zum ersten Mal konsultiert hatte. Der Arzt war eine Koryphäe auf seinem Gebiet, doch heilen hatte er Klimt bisher nicht können, und seine Behandlungsmethoden waren so rabiat, dass Klimt den Arztbesuchen stets mit Bangen entgegensah.

Der Maler klopfte an die grau gestrichene Tür und trat ohne Aufforderung ein. Der Raum war groß und schneeweiß gestrichen, es war ein weitläufiges Labor, auf dessen langen, blankgescheuerten Tischen Bunsenbrenner, Gestelle mit Reagenzgläsern und Mikroskope angeordnet waren.

»Klimt! Sie kommen im richtigen Moment, mein Freund, wir durchleuchten Sie nämlich gerade«, empfing ihn Professor Stein, ein unangenehm gesund aussehender Herr mittleren Alters, dessen Kinnbart genauso akkurat und eckig war wie seine Gesten. Er zeigte auf ein Mikroskop, über das sich einer seiner jungen Assistenten gebeugt hatte und leise vor sich hin murmelte.

»Nur zu«, forderte der Arzt Klimt auf. »Schauen Sie hindurch. So lernen Sie sich selbst am besten kennen. Betrachten Sie sich im Spiegel der Medizin.«

Der Assistent rückte zur Seite, und nun schaute der Maler durch die kleine runde Öffnung, unter der ein Gewimmel von winzigen Stäbchen zu erkennen war. Wenn man die Augen zusammenkniff, konnte man das Ganze für das feingewebte Muster eines Kleiderstoffs halten, oder für eine Blumenwiese.

»Bin – ich das?«, fragte er.

»So könnte man es ausdrücken«, erwiderte Professor Stein. »Es sind Ihre Mikroben, genauer gesagt.«

Klimt löste seinen Blick von dem seltsamen Bild unter dem Mikroskop und setzte sich auf einen Stuhl am Fenster. Eisblumen zeichneten sich auf den Scheiben ab, transparente Gebilde von kristalliner Schönheit. Am liebsten hätte er sie auf der Stelle gezeichnet.

»Ein hübsches Stillleben«, sagte er stattdessen und zeigte auf das Mikroskop. »Und? Was bedeutet es?«

»Ihr Zustand hat sich einigermaßen zufriedenstellend stabilisiert«, dozierte der Professor. »Dennoch sollten wir mit der Quecksilbertherapie fortfahren.«

Klimt griff sich unwillkürlich an die Kehle. »O Gott, ist das denn wirklich nötig? Dieses unselige Quecksilber schwächt mich so sehr, das wissen Sie doch.«

Der Professor lächelte beruhigend. In den Taschen seines weißen Kittels steckten medizinische Instrumente, ein Stethoskop, ein Fieberthermometer und ein kleines Hämmerchen. Er zog Letzteres heraus und klopfte damit leise auf den Tisch.

»Aber, mein lieber Klimt«, entgegnete er, »das verkraften Sie schon. Sie sind doch ein wahrer Hüne.«

Unruhig sah Klimt dem Arzt zu, wie er auf dem Tisch herumklopfte. Es schien nicht gut um ihn zu stehen, allen Beteuerungen des Professors zum Trotz.

»Ich habe Kinder«, sagte Klimt. »Kann es sein, dass sie auch …«

»… dass sie infiziert sind?«, beendete Professor Stein die Frage. »Nein, vermutlich nicht. Es gibt zwar immer ein gewisses Risiko, aber es ist relativ gering. Fast die Hälfte aller Männer in Wien hat die Syphilis. Wenn Sie es nicht wären, wäre es ein anderer.«

Der Assistent lachte kurz auf, doch ein Blick seines Professors brachte ihn zum Schweigen. Der Maler erhob sich und wanderte an dem Tisch mit den Reagenzgläsern und Mikroskopen entlang. Schon immer war er zu Prostituierten gegangen, schon als ganz junger Mann, und es war nicht mehr zu sagen, wo er sich mit der Syphilis angesteckt haben mochte. Nach einer anfänglichen Phase, in der er die Krankheit kaum beachtet hatte, hielt sie ihn nun fest im Griff, immer häufiger plagten ihn Kopfschmerzen und Schwindelanfälle, und manchmal verfiel er in Angstzustände, aus denen er sich kaum befreien konnte. Dann trank er, bis er betäubt einschlief.

Der Arzt beobachtete ihn besorgt.

»Und Ihre Arbeit? Geht es voran?«, fragte er betont munter. »Übrigens behandele ich auch einen Ihrer Kollegen. Einen gewissen Schiele, Egon Schiele.«

»Ich kenne ihn«, sagte Klimt überrascht.

Der Professor legte den Kopf schräg. »Nun, nach meiner

Einschätzung ist das, was er malt, einfach schrecklich, geradezu beängstigend, aber Sie sind der Experte, nicht ich. Also: Wie fällt das Urteil des Fachmanns aus?«

Klimt blieb vor einem Bunsenbrenner stehen, in dem eine bräunliche Flüssigkeit brodelte. Ganz im Anblick der kochenden Flüssigkeit versunken antwortete er: »Schiele ist eine Ausnahmeerscheinung, ein hochbegabter Maler. Ich kenne niemanden, der so schonungslos wie er dem Wesen des menschlichen Körpers auf den Grund geht.«

»Na ja, wenn Sie's sagen ...«, erwiderte Stein. »Dabei dachte ich immer, ich sei für die schonungslosen Wahrheiten des Körpers zuständig. Nun ja. Und wie geht es Ihrer Frau Mutter?«

Abrupt sah Klimt auf. »Sehr schlecht«, antwortete er bekümmert. »Und meine Schwester ist noch schlimmer dran.«

Der Arzt umrundete den Tisch und rührte in dem bräunlichen Gebräu, das daraufhin große, zerplatzende Blasen warf.

»Wenn Sie mir Ihre Frau Mutter anvertrauen würden, könnte ich mich um sie kümmern«, schlug er vor. »Sie braucht dringend eine fachgerechte Behandlung.«

»Nein, wir kommen schon zurecht«, wehrte Klimt ab. »Trotzdem vielen Dank.«

Er warf noch einen Blick auf das Mikroskop, dann gab er dem Professor die Hand und verließ eilig das Labor. Auf dem Flur blieb er inmitten von wartenden Patienten stehen. Eigentlich hatte er erfahren wollen, wie viel Zeit ihm noch blieb, aber er hatte diese Frage nicht über die Lippen gebracht, weil er wusste, dass sein Todesurteil längst beschlossen war.

»Vorsicht, so treten Sie doch schon zur Seite!«, herrschte ihn ein Krankenpfleger an, der ein Skelett heranrollte. Mit unverhohlenem Vergnügen präsentierte er es einem Patienten, der schlotternd auf der Wartebank saß.

»Da, sehen Sie es sich gut an. Keine Angst, es beißt nicht«, scherzte er. »Es ist eine Art Collage. Der Schädel kommt von der russischen Front, die Hüftknochen sind französisch, ein Bein ist rumänisch, das andere serbisch. Es handelt sich also um ein wahrhaft internationales Ensemble!«

»Sehr interessant«, stammelte ein Patient entsetzt, dann nahm er sich schnell eine der Bibeln, die eine Krankenschwester verteilte, und begann darin zu lesen.

Klimt besah sich im Vorbeigehen das Skelett. Triumphierend grinste es ihn an, und die bleichen Gebeine bewegten sich sacht, als sei noch immer Leben in diesem makabren Knochenmann. Es war der Tod selbst, dem er ins Gesicht sah. Gerade wollte er gehen, als er stutzte. Hinter einer Zeitung verborgen, aber dennoch halb sichtbar, hatte er einen Herrn entdeckt, der ihm bekannt vorkam. Er machte einen Schritt auf ihn zu und in diesem Moment ließ der Herr die Zeitung sinken.

»Einen schönen guten Tag, Herr Klimt«, sagte er und Klimt erkannte fröstelnd den Botschaftssekretär.

Einen Moment starrte er den Beamten entgeistert an, dann fasste er sich.

»Es ist schon eine Weile her, dass wir einander begegnet sind.« Er versuchte, seiner Stimme einen beiläufigen Klang zu geben.

»Wir waren eben beide außerordentlich beschäftigt«, erwiderte der Sekretär diplomatisch und deutete im Sitzen eine Verbeugung an.

Klimt setzte sich neben ihn auf die Wartebank. »Ach, sind Sie immer noch bei der österreichischen Botschaft? Oder beim Kulturminister? Hat von Hartel schon einen neuen Günstling auserkoren, seitdem ich ihm nicht mehr zur Verfügung stehe?«

Der Beamte faltete umständlich seine Zeitung zusammen. »O nein, im Moment ist es unsere Aufgabe, die Leute am Schaffen zu hindern. Das ist weit schwieriger, als sie zum Schaffen zu ermutigen, glauben Sie mir. Die Zeiten ändern sich, und die Künstler ziehen es vor, sich zu verkaufen, so wie Sie auch. Eine fatale Entwicklung, wenn Sie mich fragen. Alles gerät aus dem Ruder, immer neue Künstler drängen an die Öffentlichkeit und der Staat ächzt förmlich unter diesem Ansturm. Zu viel frisches Blut für einen so alten Körper.«

Er sah sich besorgt um, als fürchte er, belauscht zu werden, dann rückte er ein wenig näher zu Klimt.

»Sie haben Glück«, wisperte er. »Sie sind von den Erwählten erwählt worden, wenn Sie mir dieses armselige Wortspiel verzeihen, denn Sie haben im richtigen Moment auf die Unterstützung privater Gönner gesetzt. Die reichen Bürger schätzen Sie. Und ganz offensichtlich schätzen auch Sie Ihre Förderer.«

Klimt sah ihn voller Abscheu an. Warum wusste dieser Mann immer alles über ihn? Und was wollte er von ihm?

»Hat von Hartel Ihnen das erzählt?«

Der Sekretär kicherte in sich hinein. »O nein, ich bin nicht mehr im Kulturministerium tätig, sondern arbeite mittlerweile für den Finanzminister. Mein Aufgabengebiet sind Steuern. Ich warne Sie – man ist auf Sie aufmerksam geworden. Verzeihen Sie mir meine Neugier, aber wie lange arbeiten Sie an einem Gemälde, sagen wir, an einem Porträt?«

Klimt wurde blass vor Zorn. »Heißt das etwa, dass Sie meine Einkünfte kontrollieren wollen?«

»Pardon, ich fürchte, genau das ist der Fall.«

Der Maler wies auf zwei Soldaten, die auf Krücken vorbeihumpelten, beiden war ein Bein amputiert worden, und sie stöhnten bei jedem Schritt.

»Hier wollen Sie mich überprüfen?«, fragte er. »Im Angesicht von Krankheit und Tod?«

»Noch einmal – Pardon«, flüsterte der Beamte. »Ja, so ist es. Jetzt und hier. Also – wie lange brauchen Sie für ein Bild? Einen Monat?«

Klimt atmete tief. »Länger.«

»Nun sagen Sie schon«, beharrte der Beamte auf seiner Frage. »Zwei Monate? Drei?«

»Manchmal auch sechs, oder sogar zehn«, antwortete Klimt.

Sogleich begann der Sekretär halblaut zu rechnen. »Dreißigtausend Kronen für zehn Monate Arbeit, das macht dreitausend Kronen im Monat. Ein hübsches Sümmchen.«

Klimt betrachtete ihn stumm. Dann fuhr er sich mit der Hand über die Stirn.

»Finden Sie es nicht etwas seltsam, dass wir uns nun schon so lange kennen und ich nicht einmal Ihren Namen weiß?«, fragte er.

»Belassen wir es dabei«, erwiderte der Beamte kühl.

Seine Miene war mit einem Mal abweisend, die gewohnt beflissene Verbindlichkeit war ganz aus seinem Gesicht gewichen.

»Und – arbeiten Sie immer noch für den Grafen?«, hakte Klimt weiter nach.

Der Beamte verzog seinen Mund, als habe er auf etwas Bitteres gebissen.

»Den Grafen? Ich gehe davon aus, dass Sie den Wohltäter von Mademoiselle de Mérode meinen. Ja, ich habe ihn zufälligerweise gerade gestern getroffen. Er lud mich zu sich ein, denn mittlerweile kann er das Haus nicht mehr verlassen. Daher musste ich ihm meine Aufwartung machen und …«

»Er ist in Wien?«, fiel ihm der Maler ins Wort. »Ich hörte, er sei meist auf Reisen. Und immer in weiblicher Begleitung.«

»Sie meinen, mit den reizenden Cléos? Das ist Vergangenheit. Er lebt völlig zurückgezogen, auch wenn er mich manchmal zu sich zitiert. Zu ihm wird man nämlich nicht eingeladen, sondern zitiert. Ich erfuhr bei der Gelegenheit, dass er Sie – nicht einladen wird, wie gesagt, er wird Sie zu sich zitieren. Wann immer Sie wollen. Sie müssen keine Verabredung treffen, da er ohnehin nicht ausgeht und jederzeit zur Verfügung steht.«

Der Beamte zog einen Zettel aus der Tasche und übergab ihn Klimt.

»Hier ist die Adresse. Und nun entschuldigen Sie mich bitte.«

Er stand auf und ließ den Maler allein auf der Bank zurück. Nachdenklich betrachtete Klimt das Stück Papier, bis Professor Stein ihn aus seinen Gedanken riss.

»Ich habe Sie beobachtet, Herr Klimt. Ist alles in Ordnung?«

»Ja, ja, alles in Ordnung«, erwiderte er, obwohl man ihm seine Bestürzung deutlich ansah.

»Sie haben Selbstgespräche geführt«, sagte der Professor und musterte ihn alarmiert.

»Aber nein«, protestierte Klimt. »Ich unterhielt mich mit …«

Er beendete den Satz nicht, sondern starrte wieder auf das Stück Papier. Es war leer.

BITTSCHÖN, DER GNÄDIGE HERR – eine Melange?«

Der Maler sah von dem Skizzenbuch auf, in das er gezeichnet hatte, und bemerkte den alten, grauhaarigen Kellner, mit dem sich im Laufe der Jahre eine gewisse Vertrautheit entwickelt hatte. Manchmal unterhielten sie sich noch bis weit nach der Sperrstunde über Kunst und Ästhetik, und besonders schätzte Klimt an dem erfahrenen Kaffeehausveteranen, dass er immer auf dem Laufenden war, was den Stand der aktuellen Diskussionen betraf.

»Ja, servus«, erwiderte der Maler. »Gern eine Melange. Aber bitte schön heiß, ich bin völlig durchgefroren.«

Es war ein unwirtlicher Winterabend, man schrieb das Jahr 1918, und die Stimmung in der Stadt war bedrückt, denn der Krieg war nicht mehr zu gewinnen. Klimt saß allein an seinem Tisch, keiner seiner Freunde war erschienen, nicht einmal Loos und sein Gefolge waren da, nur ein paar ältere Leute und junge Paare, die stumm ihre Torte aßen. Das Café Central hatte viel von seinem alten Glanz verloren, die großen goldenen Spiegel waren erblindet, von den Wänden blätterte die Farbe. Aber niemand störte sich daran, in solch harten Zeiten war man schon froh, wenn man wenigstens die gewohnte Melange trinken konnte.

Klimt widmete sich wieder ganz seinen Zeichnungen. Mit schnellen, behänden Strichen entstanden Skizzen, die an die Bilder des Chinesen erinnerten, nur Andeutungen meist, zerbrechlich wirkende Gebilde, die sich mal zu Gesichtern, dann wieder zu Landschaften formten, ganz so, wie Klimt es bei dem chinesischen Großvater und seinem Enkel gelernt hatte.

»Herr Klimt? Sind Sie es?«

Ein junger Mann trat an seinen Tisch, er war schmächtig und über seiner Stirn bauschte sich das schwarze Haar.

»Darf ich mich zu Ihnen setzen?«, fragte er schüchtern.

Erst jetzt erkannte Klimt seinen Künstlerkollegen. »Ach, Sie sind's, Schiele. Ja, gern.«

Während der Neuankömmling sich setzte, warf er einen neugierigen Blick in das aufgeschlagene Skizzenbuch.

»Man sagt, Sie hätten einen neuen Stil erfunden, den sogenannten chinesischen Stil, ganz ohne räumliche Perspektive«, erzählte er. »Ist es das, was Sie jetzt favorisieren?«

Klimt deutete auf seine Zeichnungen. »Nein, es gibt durchaus eine Perspektive, sogar mehrere. Sie entsteht aber nur durch wenige Pinselstriche, so wie auch in Ihren Bildern. Apropos: Haben Sie Stift und Papier dabei?«

Ein lautes Krachen unterbrach ihn. Am anderen Ende des Lokals, nahe der Tür, war eine wüste Schlägerei ausgebrochen. Die meisten Gäste mischten sich auf der Stelle in das Getümmel, nur die beiden Maler und eine Gruppe junger Männer, die sich am Nebentisch mit ernsten Gesichtern unterhielten, waren auf ihren Plätzen geblieben.

Schiele zog einen Stift hervor, Klimt riss ein Blatt aus dem Skizzenbuch.

»Ich fange an«, sagte er, ohne weiter auf den Lärm zu achten. »Ich setze den ersten Strich, dann sind Sie dran, und so machen wir abwechselnd weiter.«

Sie legten das Stück Papier in die Mitte zwischen sich und begannen zu zeichnen, einer nach dem anderen. Zögernd waren ihre Bewegungen erst, doch unversehens begannen sie, aufeinander zu reagieren, und wie Tanzschüler, die zum ersten

Mal mit einem Partner üben, gewöhnten sie sich an die neue Situation, kommentierten einander und setzten ihre Striche immer rascher.

»Wer gewinnt?«, fragte Egon Schiele, während Klimt an der Reihe war.

Klimt hielt inne. »Keiner.«

Schiele lächelte. »Und wer ist der Schöpfer der Zeichnung? Sie oder ich?«

»Niemand«, antwortete Klimt. »Es gibt keinen Schöpfer in der Kunst, wir können nur nachahmen.«

In diesem Moment flog die Tür des Kaffeehauses auf und ein Trupp uniformierter Polizisten stürmte herein. Mit ihren Knüppeln trennten sie die Kämpfenden und führten ein paar von ihnen ab.

Ächzend stellte der alte Kellner die Tasse Melange neben das Zeichenblatt.

»Die Zeiten werden immer wilder«, seufzte er. »Eines Tages werden sie uns noch das ganze Mobiliar zerschlagen. Früher, da ging es ja noch wenigstens um die Kunst. Aber heute? Politik! Nur die jungen Leute da drüben, denen geht es noch um mehr als um diesen sinnlosen Krieg.«

Er deutete auf den Nebentisch.

»Die haben gerade behauptet, dass Sie, Herr Klimt, außerhalb der Geschichte stehen, besser gesagt, außerhalb des Albtraums, den wir Geschichte nennen. Ihre Bilder würden ewig Gültigkeit besitzen.«

Doch Klimt hörte kaum zu, sondern sah neugierig zu dem Tisch hinüber.

»Was sind das für Leute?«, fragte er mit gedämpfter Stimme.

»Noch habe ich es nicht ganz herausgefunden«, erwiderte der Kellner. »Sie klingen wie Philosophen, auch wenn sie sagen, dass Philosophie purer Unfug sei.«

»Und wie heißen sie?«

Der Kellner hob die Schultern. »Ich weiß nur, dass ein gewisser Wittgenstein immer die Rechnung bezahlt. Der Große ist es, mit dem hageren Gesicht.«

Egon Schiele grinste. »Na, der kann's sich auch leisten. Das ist Ludwig Wittgenstein, der Philosoph, und Geld hat er mehr als genug, das können Sie mir glauben.«

»Ich habe seine Schwester gemalt«, sagte Klimt leise. »Sie ist eine wahre Schönheit.« Nun sahen sie alle drei zum Nebentisch, an dem Wittgenstein das Wort ergriffen hatte.

»Sie wollen durch reines Denken zur Wahrheit gelangen? Ohne Wahrnehmungen? Das ist einfach idiotisch!«, rief er aufgebracht.

»Nein, Sie selbst sind ein Idiot«, fuhr ihn ein anderer an. »Aber vielleicht bin ich ja auch schwachsinnig.«

Ein dritter Gast mischte sich nun ein. »Also, Idiot, das bedeutet streng genommen, dass Sie in sich selbst gefangen sind, ein Sklave Ihrer Wahrnehmungen«, gab er zu bedenken.

Der zweite lachte auf. »Aber ein Schwachsinniger hat überhaupt keine Wahrnehmungen – ich zum Beispiel.«

»Das dem Denken und dem Sein Gemeinsame kann nur geschaut werden«, erklärte Wittgenstein streng. »Es gibt keine Logik.«

Egon Schiele sah Klimt amüsiert an.

»Was für eine gepflegte Konversation«, lächelte er. »Ich …«

Er hielt inne, denn ein verkrüppelter Soldat hatte das Kaffeehaus betreten. Seine heruntergekommene Gestalt wirkte selbst hier, wo viele in abgeschabten Mänteln saßen, wie ein Sinnbild des Schreckens. Die Uniform war zerrissen, seine Mütze saß schief und in seinem von Wunden überkrusteten Gesicht lag der ganze Irrsinn einer vom Krieg zerstörten Existenz. Er führte einen räudigen Schäferhund an der Leine und hinkte schweigend durch das Lokal, bis er an Klimts Tisch angelangt war. Dann begann er ohne Vorwarnung laut zu schreien: »Nachrichten, meine Herrschaften! Nachrichten aus dem Krieg! Nachrichten von der Front! Was macht ihr alle eigentlich hier? Schiele!«, er deutete auf den Maler, der erschrocken zusammenfuhr, »du sitzt hier in der warmen Stube und zeichnest – aber da draußen, der Krieg, das ist die Realität! Und was soll dieser Philosophentisch?«

Nun zeigte er mit dem Finger auf Wittgenstein, der wie alle anderen verstummt war. »Eine einzige überflüssige Kaffeehausphilosophie ist das! Ihr seid nur eine große, abgestandene Kaisermelange, mehr nicht!«

So unvermittelt, wie er gekommen war, humpelte der Soldat davon. Eine Weile saßen alle wie gelähmt da, dann brach ein allgemeines Gemurmel aus. Egon Schiele aber erhob sich wie getrieben, in seinen Augen malte sich blanke Panik. Ohne ein Wort rannte er aus dem Lokal.

Auch Klimt war schockiert. Zwar konnte man täglich verheerende Frontberichte in den Zeitungen lesen, aber dass der Krieg jetzt bis hierher ins Kaffeehaus drang, in den heiligen Schutzraum der Künstler, das war neu und beängstigend. Er strich die Zeichnung glatt und legte sie beiseite, dann zog er ein Buch aus seiner Tasche und begann zu lesen. Er wollte vergessen, dass anderswo die Männer in den Schützengräben lagen, dass sie auf Schlachtfeldern verbluteten und die Katastrophe Tag für Tag näher rückte. Manchmal meinte er schon den Kanonendonner zu hören, und er hatte dem nichts anderes entgegenzusetzen, als sich in eine Welt zu flüchten, in der geschrieben und gemalt wurde und in der man mit Worten kämpfte, nicht mit Waffen.

Ganz nah raunte plötzlich eine Stimme: »Guten Abend, guten Abend.«

Aus dem Augenwinkel sah er, wie ein beleibter, älterer Herr sich an den Tisch neben ihm setzte und immer wieder mit kaum gezügelter Neugier herüberschaute. Er versuchte sogar, den Titel auf dem Bucheinband zu entziffern.

Hüstelnd erhob sich der Herr schließlich und stellte sich vor. »Gestatten, Hugo Moritz.«

Er schwitzte, obwohl es so kühl im Kaffeehaus war, dass viele ihre Mäntel anbehalten hatten. Es wurde kaum geheizt, so wie überall, denn in diesem Kriegswinter war das Heizmaterial knapp geworden.

»Es ist natürlich ganz unverzeihlich und ich möchte auf gar keinen Fall indiskret sein, o nein, das wäre ja völlig unmöglich«, trug der Herr umständlich sein Anliegen vor, stockte kurz und versuche es dann aufs Neue. »Aber meine Neugierde quält mich dermaßen, dass ich nicht umhinkomme, Sie zu fragen – ich weiß, es ist einfach unverzeihlich – was lesen Sie da?«

Klimt hatte der wortreich vorgetragenen Frage geduldig zugehört und musterte den Gast verwundert. Er war ohne Zweifel ein komischer Kauz, kam ihm aber auf unbestimmte Art bekannt vor, nur konnte Klimt sich nicht erinnern, wo er ihn schon einmal gesehen haben mochte. Ein Künstler war es nicht, auch keiner der Intellektuellen, die früher im Café Central getagt hatten.

»Dante«, sagte er schließlich, »die ›Göttliche Komödie‹, auch wenn die irdische Komödie zurzeit seine Höllenfahrt bei weitem übertrifft.«

Der Herr wirkte einigermaßen konsterniert.

»Dante?«, wiederholte er ungläubig. »Ist das denn hilfreich?«

»Was geht Sie das eigentlich an?«, gab Klimt zurück, bereute aber gleich wieder seinen rüden Ton und erklärte: »Doch, ja, Dante könnte uns schon helfen, man muss ihn nur richtig lesen.«

»Nichts, nichts geht mich das an«, murmelte der Herr entschuldigend. »Es tut mir aufrichtig Leid …«

Der ältere Kellner trat an seinen Tisch.

»Dasselbe wie immer«, gab der merkwürdige Mann seine Bestellung auf, und der Kellner echote: »Dasselbe wie immer. Sehr wohl, Herr Professor.«

Klimt klopfte auf die beiden Brusttaschen seiner Jacke und lachte: »Wissen Sie, in Zeiten wie diesen kann die Literatur wirklich die Welt verändern! Zumindest für mich. Darum ist Dante immer in meiner rechten Tasche und Goethe in meiner linken!«

Professor Moritz schien entzückt. »Goethe! Das ist wunderbar, wirklich ganz bemerkenswert!«, rief er aus.

Als er sah, dass sich Klimt wieder in sein Buch vertiefen wollte, zupfte er den Maler am Ärmel, wie ein Kind, das sich nicht anders zu helfen weiß. »Bitte, ich fürchte, dass ich noch einmal indiskret sein muss. Verzeihen Sie mir meine Offenheit, aber könnte es sein, dass Sie sich gerade in großen Schwierigkeiten befinden ...?«

Er nahm ein Glas Grog vom Kellner entgegen.

»Darf ich Ihnen auch etwas anbieten?«, fragte er zu Klimt herüber.

Klimt klappte seufzend sein Buch zu. »Nein danke, Herr Professor, ich habe heute Abend schon mehr als genug getrunken.«

»Oh, bitte, ich bin kein Professor«, sagte der Herr und hob abwehrend die Hände. »Ich bin nichts. Einst war ich Kellner ...«

Klimt lächelte. »Ach so, daher kamen Sie mir so bekannt vor.«

»Moritz, Hugo Moritz«, stellte sich der Mann erneut vor und erhob sein Glas Grog. »Auf Ihre Gesundheit!«

Gedankenverloren sah Klimt vor sich hin, dann murmelte er: »Da Sie nun schon mal gefragt haben – ja. Die Antwort ist ja.«

Verständnislos starrte Hugo Moritz ihn an. »Verzeihung, ich verstehe Sie nicht ganz.«

»Ich befinde mich in der Tat in großen Schwierigkeiten«, ergänzte Klimt. »Ich werde immer häufiger angegriffen, es ist eine ausweglose Situation. Sogar die jungen Maler greifen mich an, mich, der einmal ein Vorreiter der neuen Kunst war! Jetzt nennen sie sich Expressionisten und erklären, meine Bilder seien altmodisch.«

Er trank von seiner mittlerweile erkalteten Melange. »Natürlich muss das Neue das Alte verdrängen, das ist ein gesunder Zyklus, wie in der Natur. Nur hätte ich nie gedacht, dass es so schnell geschehen würde. Also sehen wir den Tatsachen ins Auge: Meine Zeit ist vorbei, ich bin für nichts mehr gut.«

Entrüstet widersprach ihm Hugo Moritz. »Aber nein! Sehen Sie sich lieber diese selbsternannten Philosophen da drüben an – sie sind es doch, die sich in einer wahrhaft ausweglosen Situation befinden. Sie versuchen, eine Debatte wiederzubeleben, die schon seit dreihundert Jahren mausetot ist. Ach, bester Freund, die Pedanterie ist ein Unkraut, das man nie mit der Wurzel ausreißen kann. Ausdruck, Ornament! Wahrnehmung, Wahrheit! Das ist doch alles gehupft wie gesprungen!«

Klimt runzelte die Stirn. Was war das bloß für ein komischer Heiliger? Ein ehemaliger Kellner, der sein Halbwissen ausbreiten wollte? Er nahm wieder sein Buch und tat so, als ob er läse.

»Sie sollten ihm zuhören«, wisperte plötzlich eine Stimme neben ihm. Es war ein sehr junger Kellner, fast noch ein Kind, aber viele Männer mittleren Alters waren jetzt an der Front, und nur die ganz Jungen und die ganz Alten waren daheim geblieben.

»Dieser Moritz weiß einfach alles!«, raunte der Junge mit größter Hochachtung. »Er ist ein Weiser.«

Obwohl er fast nur geflüstert hatte, war der Herr am Nebentisch auf ihn aufmerksam geworden.

»Danke«, sagte Hugo Moritz und nickte seinem jungen Kollegen zu.

»Ich habe dreißig Jahre den Gesprächen dieser ehrenwerten Herren zugehört, genau hier, im Café Central. Was ist schön? Was ist hässlich? Was bedeutet Zweckmäßigkeit? Und wissen Sie, was ich gelernt habe? Alles ist schön! Alles ist hässlich! Und nichts ist zweckmäßig! Auf Ihr Wohl, Herr Klimt!«

Er erhob sein Grogglas und prostete Klimt zu, der allmählich Gefallen an diesem skurrilen Herrn fand.

»Ich lebe in einer Welt der Ungeheuer«, erklärte dieser jetzt. »Und dennoch schätze ich mich glücklich! Jawohl, glücklich! Wir brauchen keine überspitzten Theorien, was wir brauchen, ist Demut und Liebe. Das hat der heilige Bernhardt von Clairvaux jedenfalls gesagt. Auf Ihr Wohl!«

»Und auf das Ihre, Herr Professor«, antwortete Klimt, der im Scherz seine Kaffeetasse erhob.

»Ich flehe Sie an, nennen Sie mich nicht Professor«, bat der ehemalige Kellner. »Ebenso wie Sie fühle ich mich angegriffen, verletzt, am Ende. Es ist schrecklich! Alles ist schrecklich. Und gleichzeitig schön. Aber die Schönheit ist entstellt in diesen Zeiten. Auch auf die Gefahr hin, mich zu wiederholen: Ich lebe in einer Welt der Ungeheuer. Auf Ihr Wohl, Herr Klimt!«

Schreie und Stimmen wurden laut, ein Glas fiel klirrend zu Boden und wieder brach ein Tumult aus. Wütend gingen zwei Männer aufeinander los, ohrfeigten sich und fielen zu Boden. Andere Gäste eilten ihnen zu Hilfe.

»Sehen Sie sich das an«, sagte Klimt und deutete auf die Schlägerei. »Die Polizei ist gerade erst gegangen und nun fängt das schon wieder von vorne an!«

»In der Tat. Diese Kerle gehen mir allmählich auf die Nerven«, bekannte der pensionierte Kellner. »Und mein junger

Kollege ist zwar ganz charmant, hat aber einfach nicht genug Rückgrat, um sie zur Raison zu bringen. Ich an seiner Stelle hätte sie längst alle hinausgeworfen. Was halten Sie davon, wenn wir das Lokal verlassen?«

»Eine ausgezeichnete Idee«, sagte Klimt und erhob sich. »Dies ist ein unwirtlicher Ort geworden. Ich gehe nach Hause.«

»Unsinn«, widersprach Hugo Moritz. »Es ist zu spät, um zu bleiben, und zu früh, um zu gehen. Ich wohne ganz in der Nähe, nur ein paar Schritte entfernt. Und kümmern Sie sich bitte nicht um die Rechnung, das ist alles erledigt. Ich brauche hier nicht zu bezahlen.«

Am Philosophentisch ging es noch immer hoch her. Soeben rief Ludwig Wittgenstein erregt: »Sie werden mir nie schlüssig beweisen können, dass sich kein Nashorn in diesem Raum befindet!«

»Ach was, das ist schon eine Frage der Wahrscheinlichkeit«, widersprach ein anderer.

»Dummkopf«, zischte Wittgenstein.

Nun mischte sich auch noch ein Kellner ein, der mit seinem Tablett stehen geblieben war, um der Debatte zu lauschen.

»Und Hegel?«, warf er in einer kurzen Gesprächspause in die Runde.

»Ganz egal, was Hegel dazu sagt: Es gibt weder Elefanten noch Giraffen hier«, erwiderte ein junger Mann laut, worauf alle durcheinander schrien: »Sie sind eine Giraffe, Sie Schwachsinniger!«

Hugo Moritz rückte seinen Stuhl vom Tisch ab und stand auf.

»Meine Herren«, rief er, »ich schäme mich für Sie! Ich verlasse Sie jetzt, und zwar in höchster Empörung. Gute Nacht!«

»Jetzt haben wir es doch tatsächlich geschafft, den Professor gegen uns aufzubringen!«, rief einer der jungen Leute. »Gute Nacht, Hugo. Entschuldigen Sie die Störung.«

»Zu spät«, schnaubte Hugo Moritz. »Ich gehe und ich nehme meinen guten Freund Klimt mit.«

Unter dem Gelächter der Philosophen verließen die beiden das Lokal. Sie waren schon fast auf der Straße, als einer der Kellner ihnen nachgelaufen kam und Klimt ein Blatt Papier überreichte.

»Herr Schiele hat das vergessen«, keuchte er. »Und es ist wunderschön.«

Klimt betrachtete das Blatt, es zeigte eine hügelige Landschaft, in der man jedoch ebenso eine liegende Frau oder eine Blume erkennen konnte. Er legte es in sein Skizzenbuch, dann schlenderte er mit Hugo Moritz schweigend die Straße entlang, bis sie vor ein dunkles Mietshaus gelangten.

»Was ist, nehmen Sie meine Einladung an?«, fragte Hugo Moritz.

Klimt nickte. Sein Gastgeber schloss die Haustür auf. Sie stiegen die Treppe hoch und kamen in eine überraschend großbürgerlich eingerichtete Wohnung, die in nichts der Behausung entsprach, die man von einem pensionierten Kellner erwartete. Die Einrichtung wirkte seltsam feierlich, gleichzeitig jedoch hatten die Räume etwas Bedrückendes, düster und bedrohlich war es darin, wie in einer Gruft, und diese Wirkung wurde noch verstärkt durch dicke Weihrauchschwaden, die über allem lagerten.

An den Wänden des Salons hingen dicht an dicht unzählige Fotos, auf denen Kellner posierten. Offenbar waren die Fotos im Laufe vieler Jahre aufgenommen worden, aber es waren immer dieselben Männer, die mit ernstem und gleichsam anklagendem Blick in die Kamera schauten.

»Ich hoffe, der Weihrauch stört Sie nicht«, entschuldigte sich Moritz. »Mein Sohn liebt diesen Duft und kann nicht mehr darauf verzichten. Einen Moment bitte, ich muss mich umziehen.«

Klimt, der ganz im Anblick der Fotografien versunken gewesen war, drehte sich zu seinem neuen Freund um. Er hatte genug. Eine tiefe Müdigkeit kroch in seine Glieder und der Weihrauchgeruch machte ihn benommen.

»Ich glaube, ich verabschiede mich besser«, sagte er. »Es ist spät geworden.«

»Aber nein«, protestierte Moritz. »So etwas will ich nicht hören. Zu spät, Herr Klimt, zu spät.«

Er verschwand. Im selben Moment öffnete sich eine gegenüberliegende Tür einen Spaltbreit und ein alter Mann schlüpfte hindurch. Er trug nichts als ein Nachthemd, unter dem zwei dünne, bleiche Beine zum Vorschein kamen. Sein verfilztes weißes Haar hing bis auf die Schultern herab und sein Gesicht wirkte verstört. Er starrte an Klimt vorbei, stellte sich in Positur und begann, in weinerlichem Singsang zu deklamieren: »Dem armen Flötenspieler hatte man alles gestohlen, doch überall wies man ihn ab. Deshalb sann er auf Rache. Der Zauber seiner Flöte sollte den braven Bürgern von Hameln eine Lektion erteilen. So entführte der Flötenspieler die Kinder von Hameln. Glücklich sind sie in den Tod gegangen, die Kinder, und sangen dabei ein lustiges Liedchen: Lieber Flötenspieler, wir danken dir, dass du uns zum See führst. Ins Wasser wollen wir, dorthin, wo alle Kinder sein möchten. Auch wenn wir verzaubert werden und sterben müssen, so wiegen wir uns dabei doch zum Klang deiner Flöte.«

Als er endlich geendigt hatte, erschien eine noch seltsamere Kreatur, ein junger Mann von etwa zwanzig Jahren, sein Wuchs war jedoch unnatürlich klein, und er wirkte wie eine gespenstische Mozartparodie, in seiner Pagenuniform und mit der weiß gepuderten Perücke. Entfernt ähnelte er dem Pianisten in jenem Bordell, das Klimt vor vielen Jahren mit dem Kulturminister besucht hatte.

Grob fasste er jetzt den alten Mann am Arm.

»Still, Großvater«, rief er mit schriller Stimme, »die Geschichte haben alle schon gehört, halt endlich den Mund, du Scheusal!«

Mit diesen Worten führte er den alten Mann hinaus.

Klimt verfluchte sich für die Arglosigkeit, mit der er sich hatte überreden lassen, mit einem Wildfremden die Nacht zu beschließen, und suchte nach der Tür, um diesem aberwitzigen Tollhaus zu entfliehen. Doch in diesem Moment erschien Hugo Moritz wieder und verstellte ihm den Weg. Er hatte sich seine alte Arbeitsuniform angezogen und spielte seine Rolle mit sichtlichem Vergnügen.

»Herr Klimt, was wünschen Sie heute Abend?«, fragte er im Tonfall des beflissenen Kaffeehauskellners.

»Nichts«, erwiderte Klimt schnell. »Lassen Sie mich gehen.«

»Ah, ich verstehe, mein Vater hat Sie gestört. Es scheint ganz so, als müsste diese debile Bestie mal wieder mit einer Tracht Prügel zur Vernunft gebracht werden.«

Fassungslos sah Klimt den Kellner an, der so operettenhaft harmlos schien und sich nun als solcher Unmensch entpuppte. Wohin war er bloß geraten? Jetzt kehrte der merkwürdige junge Mann ins Zimmer zurück, der gerade seinen Großvater hinausgeleitet hatte.

»Ah, hier haben wir das junge Genie der Familie, komm zu uns, Thomas«, gurrte Moritz.

Sogleich lief der junge Mann auf ihn zu und schmiegte sich an ihn. »Er ist einer Ihrer glühendsten Bewunderer, Herr Klimt«, erzählte der Kellner. »Und tatsächlich ähnelt er Ihnen ein wenig, weil er wie Sie eine ungeheure künstlerische Entwicklung durchlaufen hat. In einer Zeitspanne von nur fünfzehn Jahren hat er Musik komponiert, die sich von einem archaischen Frühstil bis zur äußersten Moderne entwickelte. Komm, spiel etwas für uns, Thomas.«

Der junge Mann setzte sich folgsam ans Klavier und spielte ein Stück, das Klimt an die atonale Musik erinnerte, mit der Komponisten wie Arnold Schönberg das Wiener Musikpublikum schockiert hatten.

Stolz deutete Moritz auf den jungen Pianisten. »Haben Sie gehört, Herr Klimt? So klingt frühe Musik. Und nun, Thomas, etwas Spätromantisches.«

Sofort brach Thomas ab und spielte einige Akkorde in dem verlangten Stil.

»Das reicht«, unterbrach ihn sein Vater erneut. »Lass uns etwas Zeitgenössisches hören.«

Wieder wechselte Thomas sein Programm und spielte ein Stück von Schubert. Nun verstand Klimt die Pointe und musste unwillkürlich lachen. Doch die Kühnheit, mit der sein Gastgeber alle Epochen und Begriffe kurzerhand durcheinander wirbelte, machte ihn aus irgendeinem Grund betroffen. Für einen Augenblick meinte er, eine Antwort darauf geben zu müssen, doch er fand keine. Auch Thomas lachte jetzt, doch es klang böse, ja geradezu teuflisch.

»Jetzt – etwas absolut Modernes!«, kommandierte Moritz seinen Sohn, woraufhin der in lupenreiner Fingerfertigkeit eine Sonate von Mozart spielte.

Sein Vater betrachtete ihn wohlgefällig. Sein Gesicht glänzte vor Eifer.

»In seinen neuesten Kompositionen hat er sich jenseits der Moderne begeben«, erläuterte er seinem Gast das Talent des Sprösslings. »Er befindet sich nun jenseits von allen bekannten Stilen. Es ist ein Zirkel, der sich schließt.«

Thomas beugte sich in höchster Anspannung über die Tasten, während er eine monotone, nur aus wenigen kargen Tönen komponierte Musik spielte, die seltsam archaisch klang.

»Das reicht für heute Abend«, sagte Moritz nach einer Weile. Dann ging er ohne weitere Erklärungen aus dem Raum und

Klimt blieb allein mit Thomas zurück. Schon wollte er die Gelegenheit nutzen und sich auf der Stelle aus dem Staub machen, da erhob sich der Musiker von seinem Klavierstuhl, schlich sich zu Klimt und küsste überschwänglich seine Hand.

»Ich liebe Sie, auf Leben und Tod«, murmelte er. »Kommen Sie mit mir …«

Er zeigte Klimt den Weg, und der folgte ihm, froh, diese düstere Behausung endlich zu verlassen. Doch nachdem sie ein Labyrinth aus verwinkelten Räumen durchschritten hatten, standen sie nicht im Flur, sondern in einem Schlafzimmer.

»Ich ziehe mich zurück«, führte der Pianist. »Von jetzt an wissen Sie sicherlich besser, was zu tun ist.«

Er deutete auf ein Himmelbett, in dem eine nackte Frau lag, sie mochte Anfang dreißig sein und war auffallend schlank. Völlig reglos lag sie da und sie gab sich keine Mühe, ihre Nacktheit zu verbergen, obwohl ein unbekannte Gast das Schlafzimmer betreten hat. Ihre Körperhaltung ahmte einen Akt nach, den Klimt selbst einst gemalt hatte, und genauso wie die Schöne auf dem Bild hatte sie die Beine angezogen und den Kopf auf die Brust gelegt. Klimt fühlte sich an Midi erinnert, an ihren knabenhaften Körper, der immer noch schmal und zart wie der einer Siebzehnjährigen war. Über dem Gesicht der Frau lag jedoch ein dichter schwarzer Schleier, sodass er ihre Züge nicht erkennen konnte.

Sie wäre ein perfektes lebendes Bild für den Grafen, dachte Klimt wehmütig, nur, dass sie keine Cléo Lea ist.

»Ich heiße Anna«, sagte die Frau, ohne ihre Haltung zu ändern. »Machen Sie es sich bequem.«

Unschlüssig blieb Klimt vor dem Bett stehen. »Ist Hugo Moritz Ihr Mann?«, fragte er.

»Sagen wir besser, er ist eine Art Lieferant«, antwortete sie sachlich. »Er verschafft mir immer neue Liebhaber. Aber verurteilen Sie den Ärmsten nicht, er tut es auch für mich.«

»Und – tut er es jede Nacht?«, wollte Klimt wissen.

»O ja«, nickte Anna.

Einen Moment zögerte Klimt noch, dann setzte er sich zu der Frau aufs Bett und küsste ihre Schulter, doch sie schob ihn von sich. »Falsch«, sagte sie ärgerlich. »Es muss aussehen wie auf Ihrem Gemälde, sonst ist er nicht zufrieden. Wir müssen eine exakte Nachbildung stellen.«

»Das heißt – er beobachtet uns?«, fragte Klimt überrascht.

Sie kicherte. »Natürlich, warum sonst sollten wir uns miteinander amüsieren? Für mich jedenfalls ist es ein Vergnügen – und ich hoffe doch, für Sie auch.«

Mit einem Seufzer legte Klimt sich neben sie auf das Kissen und versuchte, unter dem Schleier ihr Gesicht auszumachen, doch so sehr er sich auch bemühte, der Schleier war zu dicht, und die gedämpfte Beleuchtung machte es ihm unmöglich, mehr als grobe Umrisse zu erkennen.

»Warum kommt Ihr ›Lieferant‹ nicht herein?«, fragte er.

Wieder lachte sie. »Wissen Sie denn gar nicht, dass ein Voyeur es vorzieht, unsichtbar zu bleiben?«

Sie löschte die Lampe neben dem Bett und umarmte ihn sanft. Ein bläuliches, seltsam irisierendes Licht erfüllte mit einem Mal den Raum, es war wie ein Meeresleuchten, so als tauchten sie in die Tiefe des Ozeans. Dann ertönten plötzlich Schmerzensschreie aus einem anderen Raum.

»Da haben Sie's«, stöhnte Anna. »Er war nicht zufrieden und nun schlägt er seinen Vater. Das ist die Rache für unsere armselige Darbietung.«

Klimt befreite sich aus ihren Armen und horchte entsetzt auf die Schreie, die in ein erbärmliches Wehklagen übergingen.

»Oh, Sie brauchen sich nicht zu beunruhigen«, raunte Anna. »Auch dies ist nur eine Darbietung. Für uns.«

Aus dem Nebenzimmer erklang nun wilde Klaviermusik,

eine misstönende Folge von Akkorden, die sich anhörte, als trete jemand mit den Füßen auf die Tasten.

»Ich fürchte, auch Thomas ist nicht gerade bester Stimmung«, sagte Anna. »Kommen Sie, wir sollten es noch einmal versuchen.«

Klimt aber hielt es nicht länger aus. Er glitt vom Bett, zog sich hastig an und irrte durch die Wohnung, bis er den Ausgang gefunden hatte.

Wenig später stand er atemlos auf der Straße. Was war mit ihm geschehen? Hatte er geträumt? Schon schien es ihm, als seien Hugo Moritz und sein Sohn Gestalten eines bizarren Maskenballs gewesen, in der exzentrische Grafen und umnachtete Bordellpianisten in immer neuen Kostümierungen um ihn herumtanzten. War er zum Statisten seiner eigenen aberwitzigen Fieberphantasien geworden? Verwirrt sah er sich um. War das überhaupt noch die Stadt, die er kannte? Bedrohlich neigten sich die dunklen Hausfassaden der Straße zu, als wollten sie alles unter sich begraben, die Straßenlaternen schienen eigentümlich verbogen, und das Kopfsteinpflaster unter seinen Füßen schimmerte wie ein Mosaik, aus dem sich einzelne Teile gelöst hatten. Kaum wagte er einen Schritt zu tun, überall taten sich Lücken auf, durch die er ins Nichts zu fallen drohte, in den Spalten aber blühten weiße Blumen, ihre Blütenköpfe bedeckten die Straße, es waren Lilien, weiße Lilien, so weit das Auge blickte.

Es hatte zu schneien begonnen, weiche Flocken legten sich auf seinen schwarzen Mantel und wehten ihm ins Gesicht. Da tauchten aus dem Schneegestöber unvermittelt die Umrisse eines Mannes auf, der ihn an den unheilvollen Sekretär erinnerte. Schon wollte er fortlaufen, doch plötzlich erkannte er Egon Schiele, der sich nach seinem fluchtartigen Abgang aus dem Kaffeehaus nicht mehr hatte blicken lassen.

Und obwohl er ihn hier, vor dem Haus des verrückten Kellners, am allerwenigsten erwartet hätte, war Klimt heilfroh, ihn zu sehen.

»Wohin sind Sie denn heute Abend so schnell verschwunden?«, fragte er. »Hat dieser arme Soldat Sie so erschreckt?«

»Vielleicht. Aber es gab noch einen anderen Grund. Ich hatte ganz vergessen, dass ich ein Rendezvous hatte. Mit einer Dame«, erklärte Schiele und wies auf eine junge Frau, deren Silhouette sich im Schein einer Straßenlaterne abzeichnete. Als sie sich näherte, bemerkte Klimt zu seinem größten Erstaunen, dass es Mizzi war.

»Mizzi? Was machst du denn hier?«, entfuhr es ihm.

Schiele legte einen Arm um sie. »Ja, wussten Sie denn gar nicht, dass wir ein Paar sind?«, fragte er.

Das Schneetreiben wurde immer heftiger, winzige Flocken stoben in Klimts Gesicht und Augen. Sie wurden feucht und verstohlen wischte er sich die Tränen fort.

»Aber nein, ich hatte keine Ahnung«, versicherte er. »Herzlichen Glückwunsch.«

»Und Sie sind mir auch nicht böse?« Mizzis Stimme klang unsicher.

Klimt musste unwillkürlich schlucken. Nie hatte er irgendwelche Besitzansprüche angemeldet, nie Eifersucht verspürt. Dennoch gab es ihm einen Stich, sie am Arm eines anderen zu sehen. »Was du tust und treibst, ist deine Sache«, antwortete er leichthin. »Und bei meinem Freund Schiele bist du sicherlich besser aufgehoben als bei mir!«

Beleidigt wandte Mizzi ihm den Rücken zu und begann auf und ab zu wandern, bis sie schließlich wieder vor ihm stehen blieb. Ihr Blick war trotzig, sie fror, denn sie trug keinen Mantel und hatte nur ihr altes Wolltuch fest um die Schultern gezogen.

»So wie immer? Brauchen Sie mich nächsten Dienstag?«, fragte sie herausfordernd.

Klimt widerstand dem Impuls, sie zu umarmen. Sie sah so zerbrechlich aus, als könnte der nächste Windstoß sie umwehen.

»Ja, nächsten Dienstag«, antwortete er. »Wie geht es den Kindern? Sind sie wohlauf?«

»Gustl geht es bestens«, antwortete sie schmallippig. »Nur Otto, unser kleiner Otto ist gestorben, aber das wissen Sie ja, er hat sein erstes Jahr nicht überlebt, er war zu schwach, die liebe kleine Seele.«

»Ich – ich erinnere mich gar nicht«, stammelte Klimt. »Ich habe ihn ja nicht einmal gesehen, oh Gott …«

»Ja, der Tod kommt so schnell wie das Leben«, erwiderte Mizzi tonlos. »Aber Sie haben ja genug Kinder, Herr Klimt, mehr als genug …«

Sie reckte ihr Kinn und marschierte wieder fröstelnd auf und ab.

»Was ist nur los mit ihr?«, fragte Schiele.

»Ach, ich glaube, sie war schon immer so«, erwiderte Klimt. »Sie ist ein eigensinniges Ding, kein weiches Kätzchen, auch wenn man sie auf den ersten Blick dafür halten könnte.«

In diesem Moment hallte die Straße von Pferdegetrappel wider und eine Kutsche hielt vor Moritz' Haus. Der Atem der Pferde dampfte in der kalten Luft.

»Da kommt sie, die geheimnisvolle Lady«, wisperte Schiele und zeigte auf eine verhüllte Frauengestalt, die im Hauseingang erschien. »Die Kusche ist für sie bestimmt.«

»Wer ist das? Die Frau von Moritz?«, fragte Klimt.

Schiele brach in Lachen aus. »Ach was, Moritz' Frau, das ist Thomas, unser herziger kleiner Mozart!«

Gebannt sahen sie zu, wie die Frauengestalt in die Kutsche stieg.

»Wer ist sie dann?«, hakte Klimt nach.

»Eine Kundin, nichts weiter. Jeden Abend eine andere. Herr

Moritz hat sehr ausgefallene erotische Phantasien. Verstehen Sie?«

Angestrengt spähte Klimt in die Kutsche. Als die Dame kurz ihren Hutschleier hob, hatte er für einen winzigen Moment den Eindruck, dass es Midi war. Täuschte er sich, oder spielte sie jetzt mit ihm, so wie der Graf und seine Cléo Leas mit ihm gespielt hatten? Wollte sie ihn als geheimnisvolle Fremde verführen oder hatte sie sich am Ende vielleicht auch vervielfacht? Es ist dieser Traum, durchzuckte es Klimt, Midis Traum, ich irre durch ihre Träume – oder hat sie sich in meinen Träumen verirrt?

»Egon? Wo bleibst du denn?«, rief Mizzi ungeduldig.

»Ich komme schon«, rief Schiele. »Ich will mich nur noch von Klimt verabschieden.«

»Vorsicht, wie gesagt, sie ist ein kompliziertes kleines Ding«, wiederholte Klimt und klopfte seinem Freund auf die Schulter.

»Das habe ich bereits bemerkt«, erwiderte Schiele lächelnd. »Deshalb gefällt sie mir ja so gut. Auf Wiedersehen.«

Er ging mit Mizzi davon und wenig später hatte der Schnee sie schon verschluckt.

Langsam schlenderte Klimt durch die dunklen Straßen. Alle Geräusche wurden durch den Schnee gedämpft, eine festliche Stille breitete sich über der Stadt aus und senkte sich auf sie wie ein weißes Leinentuch – ein Totenhemd, so schien es Klimt.

Plötzlich erblickte er in dem Schneegestöber einen Mann von gleicher Größe und Statur wie er selbst. Er beschleunigte seinen Schritt, und als das Licht einer Laterne auf sein Gesicht fiel, erkannte er den Klimt-Darsteller aus Paris. Er erschrak. War das nicht völlig unmöglich – wie kam er nach Wien? Was tat er hier in dieser kalten Winternacht? Hatte er ihm aufgelauert? Selbst der Junge mit der Schirmmütze war da. Ohne es zu wollen, folgte Klimt den beiden, gebeutelt von Entsetzen und Wut. Er ertrug es nicht, dass seine eigene Parodie ihm frech nachstellte, und immer weiter stolperte er ihnen durch den Schnee nach, bis der Schauspieler bemerkte, dass er verfolgt wurde. Unvermittelt blieb er stehen und drehte sich um.

»Ah, Sie sind es, Sie elende Kanaille!«, schrie er.

Sofort stürzte er sich auf den Maler, und Klimt hob nach einem Moment der Überrumpelung seinen Arm, holte aus und versetzte seinem lebenden Spiegelbild einen kräftigen Kinnhaken. Der Schauspieler fiel hinterrücks in den Schnee und blieb hilflos liegen, während Klimt brutal immer wieder nach ihm trat, bis sein Zorn schließlich abebbte.

»Stehen Sie auf«, befahl er. »Sonst trete ich noch einmal zu.«

»Bitte nicht, hören Sie auf, haben Sie doch Mitleid«, wimmerte der Schauspieler, der sich den schmerzenden Leib hielt.

Der Junge mit der Schirmmütze hatte unbeteiligt daneben gestanden. Frierend rieb er seine steifgefrorenen Hände.

»Was ist mit meinem Geld?«, fragte er fordernd.

»Mach, dass du wegkommst«, herrschte Klimt ihn an. »Kleiner Dreckskerl.«

Ohne sich weiter um den am Boden liegenden Schauspieler zu kümmern, ging er weiter. Mehr noch als der Schrecken über den Angriff saß ihm die neuerliche Begegnung mit seinem unheimlichen Doppelgänger in den Gliedern. War er überhaupt ein Schauspieler? Und warum verfolgte er Klimt? Der Maler beschleunigte seinen Schritt. Überall lauerten Schatten und Spiegelbilder, alles war echt und falsch, falsch und echt. Als er ein gedämpftes Getrippel hinter sich hörte, wandte er sich um. Der Junge war ihm gefolgt.

»Mein Geld, ich will mein Geld«, rief er. »Ich weiß, dass Sie Geld haben!«

Ein zweiter Junge tauchte neben ihm auf. »Bitte, Sie müssen

es uns geben. Wenn wir ohne Geld nach Hause kommen, bekommen wir Prügel. Bitte.«

Ohne Frage würde er sie nicht loswerden, bevor er ihnen nicht wenigstens ein paar Münzen gegeben hätte. Doch während Klimt noch in seinen Taschen nach Kleingeld suchte, warf sich jemand auf ihn und riss ihn zu Boden. Es war sein Doppelgänger, der sich schneller von den Tritten erholt hatte, als Klimt lieb war. Er versuchte sich aufzurappeln, aber nun schlugen alle drei auf ihn ein, bis sie genug hatten und wegrannten.

Regungslos blieb Klimt liegen, seine blutige Wange in den Schnee gepresst. Er musste aufstehen, denn wenn er hier einschlief, würde er erfrieren, das wusste er, aber so sehr er sich auch anstrengte, es wollte einfach nicht gelingen. Dann wurde ihm schwarz vor Augen.

»Großer Gott, kann das sein? Sind Sie es wirklich, Klimt?«

Er wusste nicht, wie lange er so dagelegen hatte. Mühsam blinzelte er und stellte fest, dass sich ein älterer Herr über ihn beugte. Er fasste Klimt beherzt an den Schultern und half ihm aufzustehen.

»Danke«, stöhnte Klimt.

»Sie brauchen mir nicht zu danken«, wehrte der ältere Herr ab. »Es ist mir sogar eine Ehre, Ihnen zu helfen. Nennen wir es eine kleine Wiedergutmachung nach all den Jahren. Aber ich schätze, Sie erinnern sich nicht mehr an mich.«

Klimt versuchte unsicher ein paar Schritte. »Ehrlich gesagt – nein.« Gekrümmt vor Schmerzen blieb er stehen und betrachtete seinen Retter genauer.

»Jetzt weiß ich, wer Sie sind«, sagte er heiser. »Otto Messerschmidt. Der Bildhauer.«

»Genauso ist es. Kann ich etwas für Sie tun? Soll ich Sie nach Hause bringen?«

»Nein, danke«, wehrte Klimt ab. »Ich brauche Ihre Hilfe nicht.«

Ausgerechnet dieser Messerschmidt, dachte er. Einer dieser Spießer. Warum musste ausgerechnet einer seiner ärgsten Feinde ihn in diesem Moment der Niederlage finden?

Der ältere Herr lächelte. »Na, wenigstens könnte ich Sie noch ein paar Schritte begleiten. Sie sehen nicht gerade so aus, als ob man Sie allein durch die Nacht laufen lassen könnte. Haben Sie sich auch nichts gebrochen?«

Klimt betastete sein geschwollenes Gesicht. Warmes Blut bedeckte seine Wangen und seinen Mund. Auf seiner Zunge lag ein metallischer Geschmack.

»Ich glaube nicht«, erwiderte er mühsam.

»Kommen Sie, ich nehme Sie mit zu mir nach Hause. Einverstanden?«

»Nein«, wehrte Klimt mit letzter Kraft ab. Er wollte seinen Widersacher von einst nur noch loswerden.

Doch der Bildhauer ließ sich nicht so leicht abschütteln. Er klopfte ihm den Schnee vom Mantel und strich ihm das feuchte Haar glatt. »Sie verachten mich, stimmt's?«, sagte er leise.

»Nein«, widersprach Klimt.

Die Querelen von einst waren weit weg, sie waren nur noch ein flüsterndes Echo, und der Maler interessierte sich schon lange nicht mehr für die endlosen Auseinandersetzungen, die jedes seiner Bilder hervorrief. Längst hatte er aufgehört zu kämpfen und empfand nur noch Überdruss, wenn er an die fruchtlosen Debatten von einst dachte. Schmunzelnd blickte Messerschmidt an dem schwankenden Maler herunter. »Aber, aber, die richtige Antwort kann nur Ja lauten. Schauen Sie, alle verachten mich, das war immer schon so, und wissen Sie auch, warum? Weil ich nicht der Versuchung widerstehen konnte, nein zu sagen. Meine ganze Karriere ist darauf aufgebaut.«

»In der Tat, Sie haben mehr als genug nein gesagt«, ächzte Klimt.

»Nun, schon als kleines Kind soll ich so gewesen sein«, fuhr der Bildhauer vergnügt fort. »Das erste Wort, dass ich sprechen konnte, war ›nein‹, noch bevor ich ›Mama‹ sagen konnte. Sicherlich kennen Sie diese Ja-Sager. Ich hingegen bin eben ein Nein-Sager.«

Er schaute Klimt gespannt an, als erwarte er einen Zwischenapplaus, doch der Maler war ganz damit beschäftigt, sein Gleichgewicht zu halten.

»Und ich versichere Ihnen, dass man es in meinem Gewerbe wesentlich weiter bringt, wenn man ja statt nein sagt.«

Klimt hatte sich nun wieder völlig aufgerichtet und seine Kleider in Ordnung gebracht. Erbittert musterte er das selbstgefällige Gesicht des Bildhauers.

»Wohl wahr«, stöhnte er. »Sie haben ja auch an der Kunst-Hochschule gegen mich gestimmt.«

Langsam gingen sie nebeneinander her, rutschten ein paar Mal auf dem schneeglatten Trottoir aus und hielten einander fest wie Betrunkene.

»So ist es«, bekannte Otto Messerschmidt. »Mir haben Sie zu verdanken, dass Sie es niemals zum ordentlichen Professor gebracht haben.«

Klimt blieb stehen. »Und damit nicht genug – Sie waren auch Jurymitglied bei jedem Wettbewerb, an dem ich jemals teilgenommen habe«, ergänzte er grimmig.

Die Genugtuung über seinen großen Einfluss auf Klimts Leben war dem Bildhauer deutlich anzusehen. »Stimmt. Immer war ich da, und mit mir mein notorisches Nein. Das Schicksal hatte freundlicherweise beschlossen, dass überall dort, wo abgestimmt wurde, mein Nein das Zünglein an der Waage war. Vorsicht!«

Klimt war ein weiteres Mal ausgeglitten und wäre fast gefallen, doch sofort war Messerschmidt zur Stelle und hakte ihn unter.

»Darf ich?«, fragte er. »Ja, ich weiß, ich habe Ihnen Kummer bereitet.«

Noch immer lächelte er zufrieden, als sei es das Selbstverständlichste auf der Welt, auf seine Rolle des Quertreibers stolz zu sein.

»Andererseits müssen Sie zugeben, dass ohne mich und mein ewiges Nein unsere Stadt Wien ein Friedhof voller hässlicher Monumente wäre«, gab er zu bedenken. »Hässlich nenne ich sie, weil sie zu schön gewesen wären. Zu viel Schönheit ist in meinen Augen weit schlimmer als zu wenig.«

Wieder stolperte Klimt.

»Ich sagte Ihnen doch, passen Sie auf!«, ermahnte ihn Messerschmidt, während er Klimt half, wieder auf die Beine zu kommen.

»Wir haben einfach keinen Platz für so viel Schönheit«, dozierte er weiter. »Man hätte das Alte komplett zerstören müssen, um Platz für das Neue zu schaffen. Was für eine barbarische Vorstellung! Zum Glück war ich immer zur Stelle, um Nein zu sagen.« Er stampfte mit dem Fuß auf wie ein störrisches Kind. »Nein, nein und nochmals nein.«

Sie blieben vor einer Kneipe stehen, aus der süßliche Klänge nach draußen drangen, ein Walzer von Johann Strauß, dessen Musik beliebter war als je zuvor, denn sie beschwor noch einmal ein Wien herauf, das längst versunken war, mit allem Übermut und aller tändelnden Leichtigkeit.

Auf einmal rief jemand mitten in die Musik hinein: »Und nun, meine Damen und Herren, bin ich stolz, Ihnen einen großartigen, hochtalentierten und einzigartigen Sänger ankündigen zu dürfen, der den Höhepunkt unseres heutigen Programms darstellt!«

Die Musik verstummte, es wurde applaudiert. Klimt und Messerschmidt starrten angestrengt durch die beschlagenen Fensterscheiben in den Schankraum, wo nun ein Mann auf der Bühne erschien, in dem Klimt sofort den Schauspieler erkannte, mit dem er sich noch gerade geprügelt hatte. »Meine Damen und Herren«, verkündete der Mime, »mein nächstes Lied widme ich einem großen Künstler, und wenn mich nicht alles täuscht, hört er uns auch gerade zu!«

Er gab der Kapelle ein Zeichen und sie begann zu spielen. Der Schauspieler warf sich in Positur und sang die berühmte Arie aus dem »Zigeunerbaron«: »Ja, das Schreiben und das Lesen / ist nie mein Fach gewesen. / Denn schon von Kindesbeinen / befasst' ich mich mit Schweinen. / Auch war ich nie ein Dichter. / Potz Donnerwetter Parapluie! / Nur immer Schweinezüchter, / poetisch war ich nie! / Ja – mein idealer Lebenszweck / ist Borstenvieh, ist Schweinespeck!«

Während des nun einsetzenden Zwischenspiels trampelten die Kneipengäste mit den Füßen und schlugen sich vor Vergnügen auf die Schenkel. Sie grölten Bravo-Rufe und feuerten den Sänger an, die zweite Strophe anzustimmen, was er mit einer Verbeugung tat: »Ja! Auf das Schweinemästen / versteh ich mich am besten. / Auf meinem ganzen Lager / ist auch nicht eines mager. / Fünftausend kerngesunde / hab ich, hübsch kugelrunde. / So weit man suchet fern und nah, / man keine schön'ren sah. / Wie Ihr mich seht – im ganzen Land / weit und breit bin ich wohlbekannt – / Schweinefürst werd' ich nur genannt.«

Nun brach ein wahrer Orkan aus Gelächter und Applaus los. Messerschmidt beugte sich schadenfroh zu Klimt. »Ich hoffe, Ihnen ist klar, dass er Sie meint?«

VÖLLIG ENTKRÄFTET KEHRTE KLIMT in den frühen Morgenstunden in sein Atelier zurück. Stundenlang hatte er sich durch den Schneesturm gekämpft, hatte sich verirrt und immer wieder in Hauseingängen ausruhen müssen. Er war wie betäubt von Müdigkeit und Kälte, als er die Tür aufschloss. Sofort sprangen die Katzen auf ihn zu und strichen schnurrend um seine Beine.

»Na, habt Ihr vergessen, wie man miaut?«, fragte er leise, während er versuchte, sie zu streicheln, doch sie entwischten ihm immer aufs Neue, und plötzlich verlor er das Gleichgewicht, stürzte und fand sich auf den harten Dielenbrettern der Küche wieder.

Er kroch zurück ins Atelier, zur Staffelei, auf der das Porträt Cléo Leas stand, die gleichgültig über ihn hinwegsah, mit jenem selbstvergessenen Ausdruck in den Augen, nach dem er so viele Jahre gesucht hatte. Unberührbar und entrückt stand sie inmitten eines Meers roter Blumen, die Farben glühten, aber es war ein kaltes Feuer, Klimt konnte sich nicht mehr daran wärmen.

»Wie eisig es hier ist«, ächzte er halb ohnmächtig.

Konnte es wirklich sein, dass es schneite, hier drinnen in seinem Atelier? Und doch sah es ganz so aus, denn alles war schon bedeckt von winzigen Flocken, wie ein Leichentuch legte sich der Schnee auf die wenigen Möbel und die Bilder, hüllte die Staffelei und die Pinsel ein. Weiter vorwärts kriechend, schleppte er sich durch den Raum, auf der Suche nach etwas, von dem er hätte nicht sagen können, was es war, doch beharrlich bewegte er Arme und Beine, wie ein Käfer, bis er an eine Tür gelangte, die er noch nie gesehen hatte. Sie hatte zwei breite, geschnitzte Flügel und durch einen schmalen Spalt fiel bläuliches Licht auf ihn.

Mit letzter Kraft zog er sich an der Klinke hoch und öffnete die Tür. Dahinter erstreckte sich eine hohe Halle, sie sah aus wie ein riesiger Museumssaal, doch statt Bildern oder Skulpturen stand nur ein Käfig darin, daneben surrte ein Filmprojektor, in dessen hellem Lichtstrahl Schneeflocken tanzten. Am Ende der Halle aber wartete der Botschaftssekretär und winkte ihm zu.

»Herr Klimt, da sind Sie ja endlich!«, begrüßte er den röchelnden Maler. »Sehr erfreut, Sie zu sehen. Möchten Sie vielleicht im Käfig Platz nehmen? Da wären Sie geschützt vor Ihren Kritikern, und Sie, bester Klimt, könnten der Allgemeinheit nicht mehr gefährlich werden!«

»Ich suche eigentlich den Ausgang«, krächzte Klimt.

»Dann folgen Sie mir bitte«, erwiderte der Sekretär. »Ich zeige Ihnen den Weg. So, hier entlang, dann immer links, noch mal links, immer schön links herum, und dann sind Sie da.«

Humpelnd und hustend kämpfte sich Klimt durch den Raum, vor seinen Augen wirbelten unablässig Schneeflocken umher, und er war schon fast an der nächsten Tür angelangt, als eine zierliche Mädchengestalt ihm entgegensprang. Sie trug ein weißes Feengewand, so wie Serena Lederer auf seinem Porträt, und ihre Zöpfe waren mit rosa Schleifen verziert.

»Serena? Bist du das?«, keuchte er. »Warum bist du ein Kind?«

»Ich heiße Sylvia«, sagte das Mädchen mechanisch und kraulte eine Katze auf ihrem Arm. »Ich habe mich verirrt. So wie Sie.«

»Verirrst du dich gern?«, fragte Klimt.

Das Mädchen lachte vergnügt. »So wie Sie. Alle suchen nach mir. So wie Sie.«

»Sylvia! Sylvia«, ertönten Stimmen von überall her.

Klimt sah sich um. Es war niemand zu sehen.

»Gustl!« Das war Midis Stimme, sie klang matt und weit entfernt, wie hinter einem Vorhang.

»Kommen Sie, hier entlang!«, wisperte Sylvia. »Wir müssen uns verstecken!«

Gemeinsam betraten sie einen Raum, in dem es noch heftiger schneite. Tisch und Stühle waren bereits unter einer dicken Schneehaube verborgen, dennoch hatte Midi an dem Tisch Platz genommen und trank ein Glas Wein.

»Schreckliches Wetter, Gustl«, sagte sie und schüttelte sich den Schnee von ihrem Pelzkragen. »Findest du nicht auch? Ich hoffe, du wirst nicht rausgehen, um zu malen!«

»Nein«, antwortete er. »Ich habe dich gesucht. All die Jahre hab ich dich gesucht.«

Seltsam, dachte er, warum nur sieht Midi gar nicht, in welch grauenvollem Zustand ich mich befinde? Will sie mich bestrafen? Weiß sie, dass ich sie erkannt habe in der Kutsche?

Jetzt spannte Midi einen hellgrauen Seidenschirm mit zierlichem Elfenbeingriff auf.

»Ich hatte eigentlich eine Anprobe für das Kostümfest geplant«, erzählte sie. »Aber wegen des Wetters haben sie den Maskenball bei den Primavesis abgesagt. Leider. Du wärst der strahlende Prinz des Abends gewesen, und alle Frauen hätten dir zu Füßen gelegen, ganz so, wie du es liebst.«

Klimt starrte sie an. »Midi, wie viel Uhr ist es?«

»Spät, nehme ich mal an.« Sie kicherte in sich hinein. »Zu spät, um genau zu sein! Ach, mein armer Gustav, er weiß gar nicht, wo er ist. Er hat sich verirrt!«

Sie erhob sich und deutete auf eine überirdisch schöne junge Frau, die hinter ihr aufgetaucht war. Trotz der Kälte trug sie nur einen hautengen glitzernden Anzug und ihr offenes dunkles Haar war von unzähligen Schneeflocken bedeckt. In der Hand hielt sie einen Zweig weißer Lilien.

»Sieh doch, Gustav«, sagte Midi mit weicher Stimme, »sie ist es, sie ist extra für dich gekommen, den ganzen weiten Weg, Cléo Lea, deine Cléo Lea.«

Nachdenklich sah die junge Frau Klimt an. »Ich glaube nicht, dass wir uns kennen.«

Er stutzte. Warum erkannte sie ihn nicht? Er wollte zu ihr sprechen, ihr seine Liebe gestehen, doch seine Zunge lag geschwollen im Mund und gehorchte ihm nicht. Auch seine Arme, die er nach ihr ausstrecken wollte, versagten ihm den Dienst.

»Armer Klimt«, lächelte Cléo Lea. »Er weiß nicht, wo er ist. Er hat sich tatsächlich verirrt. Dabei ist es doch ganz einfach – man muss nur durch den Spiegel gehen!«

Midi lachte keckernd. »Wollen Sie ihn denn gar nicht küssen, Cléo? Weißt du, Gustav, sie kommt wirklich von weit her, um dich zu erobern, aus Paris, glaube ich, oder war es Chicago oder New York?«

Nun begann Cléo Lea zu tanzen, mit schlangenhaften Bewegungen umrundete sie Klimt, berührte seine Schultern und streifte mit ihrem Haar sein Gesicht. Er aber schleppte sich unbeirrt weiter, er kroch nur noch, und fand sich schließlich in einem kahlen, weißgestrichenen Krankenzimmer wieder, in dem nichts als ein rostiges Eisenbett stand. Nun wusste er, wonach er gesucht hatte, er war angekommen, niemand würde ihn jetzt mehr bedrängen, endlich war er in Sicherheit. Erleichtert legte er sich in das Bett und zog die Decke bis ans Kinn. Als er nach einer Weile die Augen wieder öffnete, sah er, dass Egon Schiele neben dem Bett saß und ihn zeichnete. Immer wieder ging sein Blick zwischen Klimt und dem Zeichenblock hin und her, und das Geräusch des Stiftes hallte von den Wänden wider.

»Was sehen Sie?«, fragte Klimt mit ersterbender Stimme. »Sehen Sie die Blumen? Haben Sie die Blumen gefunden? Sind es Eisblumen?«

»Ich habe Sie gefunden«, erwiderte Schiele, »und ich sehe vollkommene Freude und vollkommenes Leiden in Ihnen, wie in den Blumen.«

Eine Krankenschwester in weißer Uniform und mit einer gestärkten weißen Haube auf dem Haar trat ins Zimmer.

»Herr Schiele«, mahnte sie vorwurfsvoll. »Führen Sie etwa Selbstgespräche?«

»Nein, ich habe mit ihm geredet«, erwiderte Schiele und deutete mit dem Zeichenstift auf Klimt.

Zweifelnd sah sie ihn an. »Mit einem Toten? Worüber haben Sie denn gesprochen?«

»Über Blumen«, sagte Schiele und ließ seinen Zeichenblock auf die Knie sinken. »Über Blumen.«

»Ein Buch, das man in zwei Nächten verschlingt« Der Standard

In einem Pub wird die 28jährige Louisa von einem älteren Mann angesprochen. Nur eine knappe Stunde später gibt sie sich ihm auf einer Gartenbank hin. Was wie eine klassische Affäre beginnt, wird zu einer Beziehung, in der Abgrund und Faszination nah beieinander liegen – die wahre Geschichte einer physischen und psychischen Abhängigkeit bis in den Tod.

Edith Templeton

Gordon

Roman

ISBN-13: 978-3-548-60545-6
ISBN-10: 3-548-60545-1

List Taschenbuch

»Dieses Buch zu lesen ist besser als Sex.«
Time

London 1874: William Rackham, glückloser und zu Müßiggang neigender Erbe eines Parfümimperiums, trifft auf die Hure Sugar. Sie strahlt etwas aus, das sie über die anderen erhebt und ihr den Luxus erlaubt, mit nur einem Liebhaber am Tag ihr Auskommen zu finden. Auch William Rackham verfällt ihren Künsten ...

»Ein opulenter, sinnenfreudiger, stellenweise berauschender, exzellent konstruierter Roman«
Berliner Morgenpost

Michel Faber

Das karmesinrote Blütenblatt

Roman

ISBN-13: 978-3-548-60478-7
ISBN-10: 3-548-60478-1

List Taschenbuch